LES RAISINS
DE LA GALÈRE

Libres

Collection dirigée par Erik Orsenna

DANS LA MÊME COLLECTION

Mes débuts dans l'espionnage, Christophe Donner
Comme des héros, Lionel Duroy
L'Aigle, Ismail Kadaré
Histoire du monde en neuf guitares, Erik Orsenna

TAHAR BEN JELLOUN

LES RAISINS DE LA GALÈRE

roman

Libres
Fayard

Le mari de ma sœur est très comme on les aime chez les Arabes. Sûr de lui, content de lui, il aime se faire servir. Sa femme est aussi sa bonne.

J'avais dix ans quand Kader a épousé ma sœur aînée. Leur mariage est mon plus mauvais souvenir. Ce fut aussi un moment décisif dans ma vie. J'étais chargée par les parents d'aller recueillir le drap dans lequel ma sœur avait perdu sa virginité. A l'époque, je devais avoir des mains d'ange, une frimousse de petite fille sage et polie, qui ne dit rien, qui fait tout ce qu'on lui demande de faire. J'étais première de la classe sans efforts. Mais quand je disais que je voulais devenir plus tard mécanicienne, ma mère hurlait en se tordant les mains, persuadée que la voisine nous avait jeté un mauvais sort parce que je réussissais à l'école, à la différence de ses enfants à elle. Oui, je rêvais d'être mécanicienne dans un grand garage où je serais habillée de bleu et où je donnerais des ordres aux hommes qui traînasseraient au lieu de travailler. Mon rêve était beau. Je me voyais couverte de graisse et de suie, la tête enfouie dans le moteur d'une grosse cylindrée, inhalant l'essence, les gaz d'échappement. Il n'y avait que moi pour trouver de la beauté à ce rêve.

Mon père, lui, me disait : « Fais ce que tu veux. Tu es celle qui ne me donne aucun souci. Tu es mieux que tes frères, qui se croient tout permis depuis qu'on leur a dit qu'ils étaient des hommes. J'ai confiance en toi. Fais ce que tu veux et ne viens jamais pleurer sur mes genoux. »

Pleurer, moi ? Plutôt me cogner la tête contre les murs.

Mon plus mauvais souvenir, il faut donc que je vous le raconte. Imaginez une gamine toute de blanc vêtue frappant doucement à la porte des jeunes mariés et attendant qu'ils se réveillent pour tirer le drap maculé de sang, le plier comme on lui a appris à le faire, le déposer sur un plateau, puis repartir avec cette preuve que sa sœur n'avait jamais couché avec un autre homme avant sa nuit de noces. J'avais dix ans et je me sentais toute vieille. Vieille et moche. Pas fière. Pourquoi m'avait-on choisie pour cette besogne ? Première de la classe, sage et naïve... Ah, si mes parents avaient pu, ne serait-ce qu'une seule fois, entrer dans mes nuits et assister aux rêves échevelés que j'y faisais ! Mais ils étaient à cent lieues de penser que leur petite fille avait de l'imagination.

Je m'avançai à pas lents dans la cour de notre maison de Resteville, le plateau sur mes paumes tendues, cependant que des femmes poussaient des youyous stridents comme si elles avaient aperçu le visage du Prophète. Moi, je râlais sans trop le montrer, accomplissant ma corvée jusqu'au bout tout en ruminant déjà quelque vengeance.

Quand, vers deux heures de l'après-midi, apparut Kader, tout fier de ses performances, les femmes l'accueillirent en libérateur. Il faisait pour elles figure de héros, d'homme qui n'a pas apporté la honte. En somme, tout le monde était satisfait. Sauf moi et ma sœur.

J'ai profité de cet instant pour aller la voir. Elle pleurait, se plaignant qu'elle avait mal au ventre. Le sang avait coulé longtemps. Plus il y en avait, plus Kader était content de lui. Il croyait que c'était la preuve de sa virilité. Je vous l'ai dit : il est très comme on les aime chez les Arabes.

J'ai aidé ma sœur à faire sa toilette. J'ai passé ma main sur ce corps jeune et frais d'à peine seize ans, un corps maltraité toute une nuit par une brute qui n'avait fait que forniquer jusque-là avec des putes au gros cul. Je l'ai habillée comme une princesse. Je lui ai promis qu'on partirait un jour toutes les deux à Vancouver, c'est une ville à l'autre bout du monde où il neige abondamment et où les gens comme Kader n'ont pas le droit d'exister. Elle a séché ses larmes et nous sommes sorties de la chambre nuptiale, décidées à oublier le sang et les larmes, à tenter de réaliser un jour au moins un de nos rêves.

Les jeunes mariés habitèrent avec nous. La maison était spacieuse. Kader se mit à chercher du travail. Ma sœur était déjà enceinte. Ma mère ne cessait de lui prodiguer des conseils. Elle est très superstitieuse, je ne sais où elle a attrapé cette maladie, mais elle voyait partout des sources de malheur. On ne comptait plus les interdits à observer : il nous était défendu de siffler à l'intérieur de la maison – ça faisait venir les anges de la mort, ceux qui accompagnent l'ange Gabriel dans ses pérégrinations ; interdit de voyager le mardi – elle prétendait que le mardi était maudit par le Prophète, la preuve : mon grand-père avait été mordu par un scorpion un mardi, ma tante avait perdu son mari dans un accident un mardi, etc. ; interdit de mêler l'absinthe et la menthe dans la théière – ça produit des disputes en famille ; interdit d'enjamber un enfant qui dort ; interdit pour les jeunes filles de se couper les cheveux ou de mâcher du chewing-gum ; interdit de parler dans les toilettes, de manger de la main gauche, de donner le sel de la main à la main, de dire que tout va bien, que les enfants sont en bonne santé, qu'ils réussissent à l'école, etc., etc.

Je connaissais par cœur cette litanie d'interdits et feignais plus ou moins de les respecter. En fait, entre ma mère et moi se dressait un tel mur d'ignorance que je ne pouvais discuter avec elle. Sans compter qu'il y avait des mots à éviter à tout prix : si on les prononçait, elle brûlait de l'encens et implorait des anges imaginaires d'éloigner le mauvais œil de la maison. Aussi préférais-je deviser avec mon père. Lui au moins me voyait fort bien en mécanicienne. Il ne me contrariait pas, se montrait attentif à tout ce que je disais et faisais. Comme moi, il n'aimait pas Kader. Il disait que si ma sœur avait pu poursuivre ses études, elle aurait été aujourd'hui plus heureuse ; elle aurait souhaité devenir médecin afin de démontrer à notre mère combien ses histoires ne tenaient pas debout.

Ma mère avait besoin de ses grigris pour élever ses huit enfants. Elle disait : « J'ai eu huit enfants et trois fausses couches. » Petite, je croyais que les fausses couches étaient des enfants anormaux qu'elle planquait quelque part. Un jour, je lui ai demandé de m'emmener voir mes autres frères ou sœurs dont elle s'était débarrassée. Elle a éclaté de rire et m'a expliqué qu'elle les avait perdus alors qu'ils étaient encore dans son ventre. Je ne l'ai crue qu'à moitié.

Un autre jour, je l'ai accompagnée chez les cousins de Sarcelles, une famille nombreuse à problèmes. En arrivant là-bas, j'aperçus un enfant pourvu d'une grosse tête aux yeux hagards, accroupi seul dans un coin, comme un mendiant. J'ai demandé à ma mère si cet enfant était une fausse couche. Elle m'a pincé au sang en m'intimant l'ordre de me taire. La tante avait entendu et me répondit : « Dieu n'a pas voulu que ce soit une fausse couche, malheureusement ! Jamais je n'aurais dû accoucher un mardi de pleine lune ! »

Depuis, j'ai appris à mentir pour ne pas contrarier ma mère. Quand je repense à tous ses accouchements, je me la représente comme une fabrique d'enfants. Le pire, c'est qu'elle voulait en avoir douze ! Mon père lui suggérait de prendre la pilule, mais elle objectait : « C'est interdit par la religion. » Dès qu'il entendait parler de religion, mon père courait au frigidaire et buvait une bière. Juste pour se donner le courage de répondre à ma mère quand elle se mettait à invoquer Dieu et ses prophètes. Moi, je riais. Je n'aimais pas beaucoup l'odeur de la bière, mais j'aimais bien quand mon père en buvait.

Mon père était un chic type. Il a toujours travaillé. Il se souvenait parfaitement du jour où il avait commencé chez Renault en remplacement de son propre père, tombé malade. C'était un lundi pluvieux. Il avait le trac, ce qui lui donnait tout le temps envie de pisser. Il n'avait pas vingt ans et n'était pas peu fier de travailler en usine. Ça arrangeait d'ailleurs bien la direction de le garder, lui, et de mettre le vieux au rancart.

Le vieux n'avait que cinquante ans, mais il était vraiment très vieux. Il retourna dans son bled, à Tadmaït, près de Tizi Ouzou. On appelait ce village le « camp du Maréchal ». Toutes les maisons étaient blanches. Le vieux y passait ses journées à dormir. La France l'avait usé. Le froid qui s'était infiltré dans son corps l'avait rongé de l'intérieur. Mon grand-père, lui, avait depuis longtemps cessé de parler ; une insondable tristesse logeait dans ses yeux.

Je suis allée une fois au bled. J'y ai accompagné mon grand frère Arezki. J'avais alors treize ans. Arezki aurait pu être mon père, et je le respectais comme un père. Saadia, sa fille, avait mon âge ; nous étions amies. C'était un type bien. Il a été le moteur de la famille, même s'il ne faisait pas toit commun avec nous. Il refusait de travailler en usine ; il a monté sa propre affaire de vente de pièces détachées. Le dimanche, il allait au cimetière d'épaves, récupérer des pièces qui pouvaient encore servir. Il n'a pas fait fortune, mais sa famille ne manquait de rien. À côté de lui, ma mère faisait presque plus jeune. Il avait perdu ses cheveux et on lisait sur son front la liste de ses soucis.

Au cours de mon séjour à Tadmaït, j'ai voulu aller à un mariage avec ma nièce Saadia. Mon frère a dit non, par habitude. De son côté, ma mère a prétendu que nous étions jolies, en bonne santé, et que si nous nous montrions dans une fête, le mauvais œil allait nous tomber dessus. Elle en donnait sa main à couper. Elle ajouta que les femmes restées au pays étaient jalouses et envieuses. Mon grand-père, qui ne desserrait plus les lèvres, s'exprima ce jour-là, non pas en kabyle, mais en français. C'était la première fois que je l'entendais parler. Il avait un joli accent ; on aurait dit un Italien : « Il n'y a rien à craindre, les filles peuvent aller à la fête. Je m'en porte garant ! » Heureuse, je lui ai baisé le dos de la main. Il m'a bénie et a posé sa paume sur la tête de Saadia. Mon frère n'avait rien à répliquer. Ma mère nous remit à chacune un talisman. En nous voyant partir, elle a marmonné des prières entre ses dents, du genre : « Ô Seigneur, faites que le mauvais œil ne les atteigne pas... »

Au village, les choses étaient immobiles. C'est beau à voir, mais ce n'est pas la vie. Aucun mouvement. Rien ne bouge. Si, les chèvres : elles sont partout, dans la plaine, à l'intérieur des maisons, juchées à la fourche des arbres. Les hommes valides sont tous partis à l'étranger. Les femmes sont vieilles et silencieuses. J'ai fait effort pour ne pas tourner les talons et m'enfuir. Après le temps de la découverte, je n'avais plus qu'une idée en tête : repartir. Trop d'immobilité flanque la mort. Je la voyais d'ailleurs venir. La mort se sent comme chez elle dans ce genre de village abandonné. Elle s'approchait et venait flairer tantôt mon grand-père, tantôt « Jeannot », un homme d'une quarantaine d'années qu'un accident du travail à Compiègne avait rendu impuissant. Il avait cessé d'espérer, tenté plusieurs fois de se tuer. On l'appelait « Jeannot » parce qu'en France, il jouait à être un bon Français. Il fréquentait les mêmes bistrots que ses collègues, buvait le calva du matin, un petit blanc à midi, un litre de rouge le soir. Jeannot avait vieilli d'un coup ; il prétendait que Dieu l'avait puni pour être allé chez les putes.

Tout sentait la fin. Des jeunes comme Saadia et moi n'avions rien à faire dans ce mouroir. Après la fête, j'ai été prise de nausées. C'est fou ce qu'on mange, dans notre tribu ! Et si tu ne t'empiffres pas, c'est que tu ne les aimes pas. J'avais essayé de faire semblant, mais on m'avait forcée, gavée. Vivement Resteville ! Là, au moins, personne ne poussait à la consommation !

Nous avons d'ailleurs dû rentrer plus tôt que prévu. Par un de ces messagers qui vont et viennent d'un bout à l'autre de la Méditerranée, mon père nous avait fait savoir que la mairie entendait racheter notre pavillon. Nous n'étions pourtant pas vendeurs, et nous aimions beaucoup cette maison construite par mon père. Tout le monde avait participé à son édification. En un an, elle avait été prête. Mon père l'avait conçue comme les maisons de Tadmaït : vaste, ouverte sur le ciel, ménageant à chacun sa chambre. La mairie la considérait d'un sale œil. Les voisins des HLM étaient jaloux, mais aimaient bien nous rendre visite ; ils disaient retrouver un peu de leur propre village en plein centre de Resteville.

Mon père était simple maçon, mais, à force de travailler la pierre, il était presque devenu architecte. Il n'en disait mot, mais il avait pris grand plaisir à dessiner cette maison. C'était son rêve : donner un toit à ses enfants. Il avait dû refaire plusieurs fois le plan à cause des objections de la mairie. Il y avait là quelqu'un qui ne supportait pas l'idée qu'une famille d'Algériens puisse s'installer en centre-ville ; à ses yeux, un immigré devait habiter la zone, au mieux une cité de transit ou un « logement social ».

Notre maison était belle, insolite. Une maison toute blanche, aux murs irréguliers, semblable à ces constructions du Péloponnèse que vantent les agences de voyages. N'y manquait que le bleu de la mer. N'y manquait que le bleu du ciel. De tout temps, Resteville a un ciel gris, assez bas. Notre maison faisait figure d'erreur dans un ensemble grisâtre, rationnel et étriqué. Une maison avec dix-sept fenêtres, deux portes, une terrasse, des patios, et surtout une grande salle de bains équipée de toilettes non pas à la turque, mais à l'européenne ! Mon père tenait beaucoup à ces détails-là. Tout en édifiant une demeure traditionnelle, il se voulait moderne. Grâce à lui, notre famille accéderait aux toilettes privées. La plupart de nos voisins, eux, ne bénéficiaient pas de ce confort ; ils devaient encore sortir de chez eux pour aller faire leurs besoins aux cabinets communs à l'étage. Nous étions des privilégiés.

Que nous vivions dans une vraie maison avec beaucoup de fenêtres, c'était, pour les gens de la mairie, une véritable provocation ! Comme ils étaient hypocrites et lâches, ils avaient commencé par nous chercher des ennuis d'ordre administratif. Ils y avaient mis le temps – presque huit ans ! –, mais ils avaient fini par arriver à leurs fins : nous déloger pour démolir notre pavillon.

Alors que mes parents avaient tôt fait de baisser les bras, je résolus de me battre seule. Je n'avais que treize ans, mais je devais avoir en moi cent ans de colère et de rancœur accumulées. Pourquoi nous expulser ? De quel droit nous expédier dans des cages à lapins ? J'empoignai le téléphone et demandai un rendez-vous au maire. J'arrivai aisément à contrefaire la voix d'une petite bourgeoise française. Je dis :

« Ici, Mme Fontaine, Marie-Ange Fontaine, je travaille au lycée Marcel-Proust et souhaiterais avoir un rendez-vous avec M. le maire. »

La secrétaire me fit répéter, puis proposa une date.

J'avais la trouille, le jour du rendez-vous ! Lorsque la secrétaire m'aperçut, elle se leva et me pria d'aller jouer ailleurs. À cet instant précis surgit le maire qui se pencha paternellement sur moi et me demanda ce que je voulais.

« Vous voir. »

Impossible, il devait recevoir une certaine dame du lycée Marcel-Proust...

« C'est moi ! »

Il trouva la chose plutôt comique et me fit entrer dans son bureau.

Je lui dis :

« Vous êtes communiste, vous êtes censé défendre les droits des travailleurs. Dites-moi alors, monsieur le maire, pourquoi vous voulez raser la maison d'un bon travailleur qui a économisé toute sa vie pour se construire un pavillon ? »

Feignant l'étonnement, il demanda à sa secrétaire d'apporter un dossier, puis essaya de m'expliquer que la ville avait besoin de cet endroit pour y construire une maison de la Culture où les enfants de travailleurs pourraient venir voir des spectacles, visiter des expositions, écouter de la musique, se rencontrer. C'était dans l'intérêt général. Il ajouta :

« Les communistes se sont toujours battus pour que l'intérêt du plus grand nombre passe avant celui des particuliers. C'est cela, la démocratie ! On rase votre maison. On vous l'achète au prix du marché, puis on vous propose un grand appartement dans une superbe HLM. »

Je lui ai répondu que c'était injuste et que j'allais me battre. Je me suis mise à pleurer. Je l'ai menacé de demander à Tante Khdyja de lui jeter le mauvais œil, et de me plaindre ensuite aux rédactions des journaux.

J'en parlai à ma prof d'histoire, une vieille fille qui avait passé sa vie à défendre les immigrés. Pour elle, l'affaire était politique. Elle rédigea un texte qu'elle se proposa d'envoyer à la presse. Je me souviens du titre : *Un maire communiste veut raser la maison d'une famille algérienne.* Entre-temps, mon père avait reçu une lettre l'informant que les experts avaient estimé la maison à quinze millions de centimes. Elle nous avait coûté le double. Je m'en voulais d'en avoir parlé avec le maire ; j'étais sûre qu'il avait truqué l'estimation et cherchait à nous faire encore plus mal.

La presse de Paris ne rendit pas compte de notre affaire. Seul le journal du lycée publia le texte de la prof d'histoire. Je le montrai à mon père. Il eut un petit sourire, puis murmura : « Ici ou ailleurs, en France ou en Algérie, sache qu'il faut éviter d'être pauvre. Un homme sans moyens sera écrasé. Et la justice ? me diras-tu. Il y a une justice pour les riches et une autre pour les pauvres. Bien sûr qu'il faut se battre, même si on a le sentiment que c'est perdu d'avance. Mais quand, de plus, on est immigré, qu'on est étranger, on est bon pour écoper de toutes les injustices, y compris de la part de ceux qui en subissent. Prends cela comme une leçon. »

Ce jour-là, j'ai trouvé mon père changé. Il avait l'air abattu, parlait avec détachement. Il me rappelait son propre père, qui avait préféré repartir au bled plutôt que de faire front. Ma mère pleurait tout en me sortant encore ses histoires de superstition : d'après elle, le maire était assurément un méchant homme, mais il n'était que l'instrument du mauvais sort jeté par la famille Assernaït, laquelle cherchait à nous nuire par tous les moyens. Le père était au chômage, les enfants faisaient de fréquents séjours en prison, une des filles avait fugué et devait probablement se prostituer... Bref, c'était une famille de malheur qui souhaitait partager ses catastrophes.

Pour moi, l'affaire était politique et teintée de racisme. Le Parti communiste français entendait démontrer qu'il était lui aussi capable d'en faire voir aux immigrés. Dans ses rangs, on ne devait d'ailleurs pas beaucoup les apprécier. Quelques mois après notre histoire, le maire de Montigny-lès-Cormeilles accusa une famille marocaine de se livrer au trafic de drogue ; des militants, des syndicalistes désignèrent cette famille à la vindicte publique alors qu'ils ne disposaient d'aucune preuve.

Je compris ce jour-là que, pour ce qui était de l'amour, c'était râpé ! Il nous restait à exiger le respect.

Je n'étais plus la première en classe. Je négligeais mes cours. Je n'avais pas le cœur à l'étude. Je prenais de l'âge à une vitesse stupéfiante. L'année de notre déménagement, j'écopai d'un avertissement du conseil de classe. Le mari de ma sœur en profita pour me lancer des remarques désagréables du genre : « Toi, la grosse tête qui veut changer le monde, te voici bien avancée, à présent... » Il avait raison. Sauf que je voulais non pas changer le monde, mais changer quelque chose à Resteville. Le maire, par exemple. J'ai la rancune tenace. Je ne lâche pas. Jamais. J'ai écrit ceci dans mon journal :

> *Aujourd'hui, j'ai subi une grande défaite. Mais ils ne m'auront pas. Je ne serai jamais la petite Beur qui passe à la télé pour dire combien elle est assimilée, intégrée, rangée. Non. J'ai la rage ! J'ai la haine ! Trop d'injustice. Je ne serai jamais galérienne... Merde ! Dire qu'à quatorze ans et demi, je n'ai toujours pas mes règles ! Elles refusent de couler. Je suis trop nerveuse. Je fais trop de choses. Je ne m'occupe pas assez de moi... Rendez-vous avec Toni. Il s'appelle Antoine. Sympa, un peu timide. Mon premier flirt est un Français. Je suis contente que ce ne soit pas un Arabe...*

Mes règles arrivèrent un matin en plein cours de gymnastique. Je n'avais pas honte. Je me sentis plutôt soulagée : enfin, j'étais comme les autres ! Pas tout à fait : je n'en tirai aucune fierté. Mais j'étais débarrassée d'une inquiétude.

Depuis que nous vivions en appartement, notre existence avait changé. Nous disposions de moins d'espace et recevions moins. Kader et ma sœur logeaient dans l'immeuble d'en face. Je fis remarquer à ma mère que nous n'avions plus rien à redouter : qui allait désormais nous envier ? Peut-être le gardien de l'immeuble, un vieux harki aigri et méchant ? Le pauvre homme avait tout perdu : honneur, femme, enfants. Il vivait seul et parlait à son transistor. Ses enfants avaient changé de ville et de nom. Mohand se faisait appeler David Kohen ; il insistait sur le K. Il portait la kippa et une étoile de David autour du cou. On ne savait comment il avait fait fortune, mais son père disait qu'on l'avait payé pour renoncer à l'islam et à l'identité kabyle. De temps en temps, il venait à Resteville pour frimer. Nul ne le reconnaissait. J'avais pitié de lui.

Après Antoine, j'eus une relation plus sérieuse avec Marc, un grand type qui travaillait dans le social. Il avait un diplôme en psychologie. C'était un brun aux yeux clairs. Il avait le type méditerranéen et certains le prenaient pour un Arabe. Sa mère était sicilienne, son père breton. Notre relation fut d'abord amicale. Ce que j'aimais le plus chez lui, c'était une sorte de douceur inquiète, une vraie gentillesse. Disponible, il était curieux de tout.

J'avais dix-sept ans ; pour la troisième année consécutive, j'étais déléguée de classe. On me désignait à l'unanimité. On disait que j'avais une grande gueule. Au lycée Descartes, j'organisai une grève pour obtenir la création d'une quatrième terminale B. On préférait entasser les élèves plutôt que de créer une nouvelle classe. La lutte fut dure, mais on gagna. Sauf que moi, je redoublai. Pas grave : j'avais envie d'apprendre, de comprendre. Mais le cours de philo m'énervait : je ne retenais pas les idées, j'avais l'impression qu'elles me traversaient comme une passoire. Trop abstrait pour moi. Un jour, ma prof me donna à lire un livre de B. Tout à coup, les choses commencèrent à s'éclaircir dans ma tête. Ce qu'écrivait ce sociologue renvoyait à des situations que j'avais connues. Je retrouvais là-dedans de quoi expliquer la vie mal faite de mon père, de mon grand-père. B. exprimait avec des mots précis des sentiments que nous avions éprouvés, comme l'humiliation, le rejet.

Avec Marc, je me sentais en sécurité. Il me prenait avec douceur et tendresse, me parlait longuement. Il me disait : « Je voudrais faire ma vie avec toi. J'ai envie de découvrir le monde avec toi. Nous irons ensemble au village de ma mère, en Sicile. Tu verras, ça ressemble à ton pays. » Il me parlait de son travail sur le terrain, des difficultés qu'il y rencontrait. Il aurait voulu m'arracher à ma famille, mais je n'étais pas prête pour ça. Trop tôt.

Je fis l'amour pour la première fois. Apparemment, je n'étais plus vierge. Probablement avais-je déchiré mon hymen en faisant du sport. Je faisais du karaté pour apprendre à me défendre, du cheval pour oublier les ennuis quotidiens, de la boxe pour provoquer les garçons. Un compatriote me dit un jour que je faisais tout pour ressembler à un garçon. Ce n'était pas faux, sauf que les garçons, chez nous, ne valaient même pas les filles : tous des fils à Maman, comptant sur le travail de leurs sœurs pour payer leurs cigarettes et leurs sorties en boîte !

Le seul frère qui aurait pu être un homme, mon cadet Titom – diminutif de « Petit Homme » –, avait été renversé par une voiture. Il était resté six mois dans le coma. Le jour où il avait repris connaissance, ce n'était plus qu'une triste chose à visage humain. L'accident avait eu lieu un mardi alors que j'étais chez le coiffeur contre l'avis de ma mère. La pauvre était persuadée que si je me faisais couper les cheveux, un malheur ne manquerait pas d'arriver. Pour une fois, sa superstition était tombée juste. Longtemps elle me tint même pour quasi responsable de l'accident. J'avais beau lui expliquer qu'il ne pouvait y avoir aucune espèce de lien entre une coupe de cheveux et une voiture qui renverse une mobylette, elle faisait de cette coïncidence une justification éclatante de ses appréhensions.

Après l'accident de Titom, l'assurance essaya de nous voler. Cette fois, ce fut ma mère qui, munie de tous les papiers, se présenta au bureau, déclarant qu'elle était prête à entamer une grève de la faim au cas où l'estimation de l'indemnité ne serait pas réévaluée en proportion de l'invalidité de son fils. Le responsable de l'agence – c'était un Kabyle – lui promit d'arranger l'affaire. Nous n'étions pas peu fiers de voir notre mère, métamorphosée en combattante, décidée à défendre bec et ongles les intérêts de ses petits.

Titom, lui, était ailleurs. On aurait dit que son regard avait été volé, que quelqu'un le lui avait fauché. Il n'était pas vide : juste absent. On aurait dit un regard qui attend, sur un banc, le retour de la lumière ou la simple visite d'un ami. Ma mère s'occupait trop de lui. Elle avait un tempérament de mère juive ou de mamma italienne dans toute leur splendeur. C'était une fille de la terre plus habituée aux orages qu'à la mélancolie.

Je faisais la lecture à Titom ; son attention était réduite. Plus rien ne semblait l'intéresser. Même la télé l'énervait. Un jour, je l'ai trouvé avec un

Coran entre les mains, qu'il s'efforçait de lire en français. Il avait l'air captivé.

Marc habitait un petit studio dans le centre-ville. Animateur à la maison de la Culture, il jouait de plusieurs instruments de musique. Les enfants l'aimaient beaucoup, ils l'appelaient « Magic Marc ». Il connaissait quelques tours de magie, mais surtout les faisait rire. Moi aussi, j'ai été séduite par son humour. Dans le fond, il était désabusé, mais il avait décidé de se rendre utile et de ne pas se laisser abattre.

L'été, j'étais caissière au supermarché. Je n'avais pas le temps de m'ennuyer. J'observais les gens à leur insu. Les Français ont une relation étrange avec l'argent. On dirait qu'on leur a appris dès l'enfance à le planquer, et surtout à n'en pas parler. Quand je reçus mon premier salaire, tout le quartier fut au courant : j'étais si fière que j'exhibai mon chèque à tous les passants. Marc, lui, dépensait sans compter. Il disait : « L'argent, c'est comme le sang, il faut que ça circule. »

Au supermarché, les vigiles étaient antillais ou maghrébins. Quand ils attrapaient un chapardeur de chez eux, ils étaient sans pitié. Ils faisaient du zèle, aimaient humilier les malheureux qui se faisaient prendre. Ils voulaient montrer à leur chef blanc qu'ils étaient encore plus sévères que lui. Les fils de harkis cognaient le plus fort ; on aurait dit qu'ils avaient une revanche à prendre.

Un jour, un vigile maghrébin arrêta à la sortie un Antillais qui avait volé quelques bricoles. L'Antillais pleurait, l'autre s'acharnait sur lui avec une rare violence. Je quittai ma caisse et m'interposai entre les deux hommes. Je faillis recevoir un coup de pied. Je hurlai. L'Antillais se traînait par terre, le Maghrébin l'insultait en arabe. C'était insupportable. Le lendemain, je fus renvoyée.

Je rejoignis Marc et les enfants et devins monitrice pour les tout-petits. Là, j'étais heureuse. Je ne gagnais pas grand-chose, mais, au contact des gosses, j'appris à me montrer patiente. Denrée rare chez nous, la patience est un remède pour les excités de naissance, les déchirés entre maison et rue. Je me calmai, j'oubliai mes soucis, les mauvais souvenirs liés à mon passage au supermarché. Je réalisai que je n'avais moi-même jamais volé dans un magasin, pas même une tablette de chocolat, une paire de boucles d'oreilles fantaisie. Cela manquait à mon éducation : braver la peur, tromper la vigilance des gardes-camelote, des garde-manger ! Mais je m'en moquais bien.

De tous les enfants qui fréquentaient le centre,

Ali était mon préféré. Dernier-né d'une famille nombreuse, il avait sept ans, ne savait pas encore écrire, parlait avec difficulté. La mère était déjà trop âgée quand elle était tombée à nouveau enceinte. Mais sa religion et son mari lui interdisaient l'avortement, et c'est ainsi qu'Ali était là, vivant, affectueux, terriblement attachant. Il avait des gestes d'une grande tendresse, parfois mêlés à d'autres plus maladroits que violents.

Ce gamin-là m'a non seulement initié à la patience, mais il m'a inculqué la passion de la différence. Il était différent, avec ce regard qu'il posait sur les gens et les choses, un regard mi-résigné, mi-étonné, habité par une étrange douceur. Souvent, je me trouvais désarmée devant lui. Quand il me voyait, il ouvrait ses bras et courait vers moi sans prêter attention aux chaises ni aux tables ; il lui arrivait de trébucher, de tomber. Il ne pleurait pas, se relevait, puis venait se blottir contre moi.

Ali m'avait donné toutes ses réserves d'amour. Moi aussi, je l'aimais, mais je sentais que ce n'était pas assez. Aussi lui apportais-je des choses qu'il aimait. Il adorait les marrons glacés. Je lui en achetais chaque fois que je pouvais. Il les avalait goulûment tout en riant aux éclats.

Un jour, je le trouvai assis dans un coin, le regard voilé de tristesse. Il m'adressa un petit sourire contrit, puis baissa les yeux. Quelque chose avait dû se passer. Mais inutile de l'interroger. Je demandai autour de moi, nul ne me renseigna. Ali s'était sans doute battu avec un autre enfant et le surveillant l'avait puni. Il aimait se battre. Pour lui, c'était un jeu, une façon de se mêler aux autres. Il pouvait même se montrer brutal, mais ne s'en rendait pas compte.

Je rendis visite à sa mère, une brave femme qui avait fait une douzaine d'enfants. Trois étaient morts. Elle disait qu'Ali était un don de Dieu, un frère des anges déposé au creux de cette famille comme un présent. Elle me raconta qu'au bled, naguère, les gens venaient quémander un peu de sa bonne étoile et le surnommaient « la baraka d'Allah ». Son fils était comme un saint. Les autres femmes lui apportaient des cadeaux, s'en approchaient délicatement, posaient le bout de leurs doigts sur sa tête et les portaient ensuite à leurs lèvres. Elles psalmodiaient des prières qui étaient en vérité des requêtes on ne peut plus précises destinées à faciliter le règlement d'un différend ou à dispenser un peu plus de félicité ou de richesse à quelque famille pauvre. Ali lui-même ignorait qu'il était un saint. Son bonheur était tout simple. Il ne souffrait guère de sa condition, même quand certains enfants se montraient cruels envers lui. Ce qu'il ne supportait pas, c'était l'absence de gentillesse chez les adultes. S'il lui arrivait d'être repoussé par un parent ou un enseignant trop pressé, il enfouissait son visage dans ses mains et pleurait jusqu'à ce que quelqu'un lui tendît la main et le prît dans ses bras.

Il m'arrivait de penser à lui hors du centre. Les larmes aux yeux, je me disais : « Voilà un malheur innocent, une douleur sans cause, blessure pour les uns, accident pour les autres... » Généralement, ces enfants sont mal accueillis à leur naissance. La mère d'Ali m'avait confié que la pédiatre de l'hôpital lui avait proposé de le confier à une association qui l'eût débarrassée de cet avorton. Sur l'instant, cette femme n'avait pas compris ce qu'on lui suggérait, ce qu'on lui voulait. Elle s'était bornée à pleurer en silence tout en serrant son enfant contre elle.

Ali m'a aidée à manifester mon intransigeance à bon escient. Je suis devenue intraitable dès qu'il s'agit du respect de la dignité de l'enfant. Pour moi, la lutte contre le racisme devait commencer dès les petites classes. Je ne me faisais plus beaucoup d'illusions sur la mentalité des adultes. Il fallait d'abord s'occuper des gosses. De là ont daté mes tournées avec Marc dans les écoles du département. On leur proposait un spectacle avec des textes de Nazim Hikmet, Jacques Prévert, Jean-Marie Gustave Le Clézio, des chansons de Brassens et de Perret. Ali nous accompagnait parfois. On faisait participer les enfants à la préparation du spectacle. Nous nous en remettions à leur spontanéité, sans sous-estimer pour autant leurs penchants à la violence, voire à la cruauté. Nous comptions aussi sur la complicité des enseignants et les bonnes dispositions de l'administration.

La vraie violence rôdait tout autour de nous. De temps à autre, des bagarres éclataient dans les bistrots. Ça finissait par du verre pilé, des cris, des coups, parfois des étoiles de sang rouge vif sur l'asphalte.

Mon père déprimait. Depuis l'été, il n'avait plus goût à rien. Il s'absentait dans des rêveries qui laissaient ma mère perplexe. Elle disait que la retraite ne lui valait rien et pestait contre la France qui avait inventé ce genre de mort à petit feu. Elle s'en plaignait à tout le monde : « La retraite est une maladie, elle va tuer mon mari ! » Elle n'avait pas tout à fait tort. D'autant qu'il n'aimait guère sortir. Il refusait d'aller passer ses journées au bistrot de Boualem, un ancien soldat devenu indicateur de police, probablement proxénète. Sûrement un méchant : on le savait, on le disait. Il n'y avait que lui pour croire que nous étions naïfs.

Mon père ne parlait pas politique. Il n'avait aucune sympathie particulière pour le FLN, qu'il assimilait à une bande de profiteurs. Vis-à-vis des Français, il était tout aussi mitigé : l'épreuve de force avec la mairie communiste l'avait dégoûté, démoralisé. Il passait des heures entières sur le balcon à scruter le petit parc où jouaient les enfants. On aurait dit qu'il était collé à son siège ; de temps à autre, je le voyais faire un effort pour se lever, mais il se laissait lentement retomber, comme attiré par un aimant. Je sus ainsi que la dépression est une maladie, cette maladie que ma mère confondait avec la retraite.

C'était un homme brisé. Ma mère émit alors l'idée de l'envoyer au bled. Au moins, là-bas, il se sentirait vraiment chez lui. Mais il n'arrivait pas à se décider. Il disait que ce voyage lui faisait peur. De mauvaises nouvelles nous parvenaient d'Algérie : des attentats avaient lieu un peu partout ; ce n'était vraiment pas le moment d'y retourner.

Un jour, Boualem vint à la maison. Mon père ne parut pas surpris par cette visite. Il lui apprit que notre village était tombé entre les mains des islamistes.

« Et alors ? fit mon père.

– Je voulais savoir si tu avais toujours l'intention de t'y rendre.

– Ça ne te regarde pas. Je trouve même curieux que tu t'en préoccupes ! Pour qui travailles-tu, à présent ? Qui renseignes-tu ?

– Mais personne... Je suis inquiet, car c'est notre village et il est perdu. Je voulais savoir si on ne pouvait pas faire quelque chose contre ces gens-là...

– Va, reste dans ton bistrot à épier le délire des uns et des autres. Laisse-moi en paix. »

Il sortit tête basse et on ne le revit plus.

Bizarrement, cette visite réveilla l'attention de mon père ; il m'appela et, comme quand j'étais petite, se mit à me parler :

« Tu te souviens du jeu de devinettes et des contes de Joha ? Avec le temps, tout cela me revient comme si je retombais en enfance... J'ai repensé ces jours-ci à Bourru, le maire qui a rasé notre maison. J'ai envie de me venger. Je sais où il habite. Je pourrais louer un bulldozer et raser à mon tour sa maison. Je le ferai au mois d'août, quand il n'y aura presque plus personne. Mais ce n'est pas facile de se procurer un bulldozer. C'est même compliqué...

– Laisse-moi faire. J'ai un plan.

– Je te fais confiance. Mais attention : choisis bien les gens avec qui tu t'engages. Réfléchis avant d'agir. N'oublie pas une chose, n'oublie jamais : où que tu ailles, quoi que tu fasses et dises, tu seras toujours renvoyée à tes racines. Tu es kabyle, on te prendra pour une Arabe, alors même que tu es citoyenne de France. Tu ne seras jamais française. Notre terre couvre notre peau, masque notre visage. Nous aimons bien la terre d'ici, mais est-ce qu'elle nous aime, elle ? Bourru s'est permis de démolir notre maison parce que, pour lui, nous ne sommes que des Algériens. Jamais il n'aurait osé faire ça à des immigrés portugais ou espagnols. J'abandonne Bourru à Dieu et... à tes soins. Mais fais bien attention ! »

Après ce conseil, il replongea dans un profond silence. Je lui servais son thé, lui faisais la lecture. Il me demanda de lui lire *Les Milles et Une Nuits*. Il y avait certains passages scabreux, je ne les sautais pas, mais les lisais en rougissant. Il souriait. C'était un homme de qualité.

Avec lui, j'ai appris à prendre le temps de réfléchir. Je calmais et contrôlais ma respiration, tentais de faire le vide dans ma tête en essayant à toutes forces d'en chasser Bourru. Il était gros et lourd et y occupait trop de place. Il avait réussi à désespérer mon père ; il fallait l'expulser de mon esprit ! D'autant que ma mémoire était encombrée de tant de choses inutiles qui s'y entassaient pêle-mêle : des chaussures dépareillées, une pomme dans laquelle un enfant a mordu, une culotte, un flacon de parfum, une poupée cassée, un bol ébréché, une lumière crue sur un village immaculé, mon grand-père qui somnole, ma mère qui confectionne un talisman, mon frère qui pleurniche, le mari de ma sœur qui ronfle en faisant la sieste, un petit garçon assis sur son pot, un miroir magique qui embellit tout, les mains chaudes de Marc plaquées sur mes seins, une fleur séchée entre les pages d'un livre, une machine à coudre et, par-dessus tout ça, un paquet de nuages noirs comme seul Resteville sait en fabriquer.

Si j'avais pu dormir quelques jours et quelques nuits sans interruption, j'aurais sans doute réussi à percer ce paquet de nuages. Mais, à l'instant où je m'apprêtais à m'assoupir, Marc m'appela : il fallait faire quelque chose pour libérer les cinq gamins retenus au commissariat pour avoir barboté la caisse de la mairie !

L'instituteur avait emmené sa classe visiter la mairie et assister à une cérémonie officielle dans la salle des mariages. Âge moyen : onze ans. De grands yeux noirs, des regards qui n'avaient plus grand-chose d'enfantin. Ils étaient assis là sur le même banc, comme en classe. Ils plaisantaient, riaient, insouciants. Je reconnus Rachid, l'aîné de la bande. Son frère était en prison depuis deux ans pour une affaire de bijoux dérobés à une actrice pendant le tournage d'un téléfilm à Sarcelles. Rachid était probablement le meneur. C'est lui qui avait dû repérer le tiroir où un agent municipal déposait l'argent des quêtes. Les quatre autres garçons avaient dû occuper son attention pendant que Rachid opérait. Mille deux cents francs ! Deux cents francs chacun, quatre cents pour Rachid.

Chacun d'eux répondait n'importe quoi. Aziz expliquait volontiers : « Ici pas de taffe, alors vaut mieux se servir. On n'est pas des teubés. Pas normal ! On n'a rien fait de mal. T'as vu la gueule des mecs qui partent le matin chercher du taffe ? L'angoisse. Ils partent en tirant la tronche et reviennent avec la gueule de bois. On n'a pas volé. On veut pas être comme eux, c'est tout. On veut être pénards, et personne au-dessus pour nous engueuler. »

Kader lui coupait la parole : « Deux cents balles, ça fait une petite sortie vers Paris. Ça craint rien. C'est une carte orange pour celui qui bosse. Moi, j'ai pas envie de bosser comme un teubé. Ce que je veux, c'est un joli petit bateau pour partir toute l'année en mer. Je serai capitaine et je ferai la traversée des mers, très loin de Resteville. »

Momo sortait son billet de deux cents francs,

le brandissait et disait : « Avec ça, je peux pas m'acheter une guitare. Pas même un jouet pour mon petit frère. Alors, tenez, ce pognon, je vous le laisse. Mais donnez-moi une guitare ou un harmonica. Je vous jure, les mecs, qu'avec de la musique je serais un as, tranquille et sympa. Le prof m'a dit que j'étais nul, bon à rien, que je serai toujours un reub. Cet enfoiré, je veux plus le voir. C'est lui qu'est nul. Il s'énerve au lieu de nous apprendre. Sais pas où ils vont les chercher, mais tous ces profs sont des taulards, des punis. Y a quelqu'un qui leur crache dessus avant et, pour finir, on les envoie nous rabaisser. Moi, je veux pas bosser avec des mecs aussi moches. »

Rezki voulait aussi raconter sa vie. Il s'impatientait, bégayait. Ses copains se moquaient de lui, mais il s'obstinait tout en rougissant : « Moi, moi, je veux-veux la blonde. C'est tout : Agnès. La blonde ! J'ai déjà volé pour elle. J'ai piqué dans les magasins, toujours pour elle... »

Tout le monde était au courant : Agnès était une pute qui travaillait sur Paris. Fausse blonde, faux cils, faux seins, faux nom. Seul son boulot était vrai. Elle stationnait entre Nation et Vincennes. Elle s'était laissée grossir pour mieux attirer certains clients. Les petits la connaissaient bien. Rezki en était amoureux. Pour lui, c'était une belle chose plantureuse, une image vivante, presque un rêve. Il croyait qu'elle travaillait dans un cirque. Agnès l'aimait bien. On racontait même qu'un jour elle l'avait attiré chez elle et lui avait exhibé son sexe. Elle lui avait dit : « Ferme les yeux d'abord, tu les ouvriras quand je te dirai. » Elle était allée mettre de la musique, puis avait esquissé quelques pas de danse, lui donnant l'ordre de regarder tout en relevant lentement sa jupe. Le petit avait écarquillé les yeux. Elle s'était approchée de lui, lui avait pris la main et l'avait passée sur son ventre. Le petit avait frémi d'émotion et de peur.

Agnès avait toujours réfuté cette histoire. Ce devait être les enfants qui l'avaient inventée. La malheureuse travaillait dur. Elle n'avait pas de mac et redoutait d'aller à l'hôtel. Elle s'enfermait avec les clients dans les toilettes Decaux. Pour une pièce de deux francs, elle assurait le gîte. Les hommes faisaient vite. Ça l'arrangeait, mais c'était épuisant.

Elle s'appelait en fait Bahia. Arabe et femme battue, elle avait tout plaqué, et, de rage, faisait la pute.

Rachid sourit en entendant prononcer le nom d'Agnès. Lui devait connaître son histoire. Mais il préféra évoquer la sienne :

« J'ai été mal fait, ça n'est pas ma faute. Mes parents ont passé leur temps à me lancer à la gueule : T'es aussi moche qu'inutile ! Le prof en a rajouté en hurlant : T'es nul ! Quand on est moche, inutile et nul, on essaie de se débrouiller comme on peut. J'ai treize ans et j'en suis à redoubler ma sixième. Normal : le bahut ne veut pas de moi. Dès que j'y ai mis les pieds, j'ai glissé et me suis fait mal. À la maison, je suis de trop ; à l'école, je suis pas aimé. La rue m'aime bien. Quand un prof te dit que t'es rien et que tu feras jamais rien de ta vie, à force de l'entendre répéter, tu finis par lui donner raison.

« Mon prof non plus, d'ailleurs, n'aime pas l'école ; il ne supporte pas les enfants. S'il pouvait les battre, il le ferait. Un jour, il m'a tiré les oreilles. Il m'a fait très mal. J'ai crié, il a continué à tirer. Je lui ai foutu un coup de pied dans les couilles ; il est tombé. On m'a suspendu pendant un mois. Mon père a voulu lever la main à son tour pour me frapper ; j'ai esquivé. Sa main est retombée sur l'angle de la table et il s'est fait mal. J'ai rigolé. Il n'a pas apprécié. J'ai dû dormir sur le palier.

« C'est pas ma faute si je suis moche et pas aimé. Moi non plus, j'aime personne...

« Pourquoi je vole ? Pour voler. Un jour, l'épicier arabe a porté plainte. Je lui avais pourtant pas volé grand-chose : des bonbons, quelques bricoles. La mairie, c'était plus tentant. La caisse était ouverte ; on voyait les billets craquants, tout neufs. Il suffisait de tendre la main pour les ramasser. Les autres ont occupé l'agent en lui posant des questions stupides et j'ai plongé la main dans la caisse et empoché le pognon. Je voulais acheter une radio, des disques et du rouge à lèvres pour Agnès.

« C'est en rêve qu'Agnès vient me voir et me parle. Elle me dit des choses justes, elle me répète que la vie, c'est de la merde, les mecs, c'est tous des brutes, elle m'invite à partir avec elle très loin d'ici, elle dit que c'est pas juste de servir de poubelle aux mecs.

« Je le sais bien : même en rêve, la vie me rate pas, elle me flanque des coups. C'est pour ça que, le matin, je me réveille couvert de bleus. J'ai mal partout. Agnès, je la vois pas le jour. Faut que je dorme : là, elle rapplique dans une superbe auto et m'emmène faire un tour à Paris. Le jour, j'attends la nuit. Mais la nuit ne vient pas toujours. Il y a des fois où elle veut pas venir, où elle veut pas de moi. Le jour, le prof me tape, le vieux me tape, et Agnès m'oublie.

« Je fais semblant d'être là. C'est pas moi qui vole. C'est l'autre, celui qui attend la nuit. Suis pas fou. Suis seulement fatigué. Veux pas savoir pourquoi. C'est la vie, et la vie, c'est de la merde. Je rêve d'un bateau. J'en ai jamais vu en vrai. Un bateau qui glisse sur la mer. C'est beau, j'ai vu ça à la télé. T'as une clope ? Interdit. OK. Interdit. Et pisser, c'est interdit ? T'as vu ma gueule ? Pas confiance. J'ai des cicatrices. Tu les vois pas ? Normal, sont à l'intérieur. Si tu grattes, tu les trouveras. J'en fais pas une maladie. On m'a toujours dit : T'as une sale gueule. Les Arabes ont des gueules, de sales gueules. Mais ils peuvent pas se la refaire, comme Michael Jackson. Prince aussi a une sale gueule, mais il est pourri de fric. C'est ce que je voudrais. Pour le moment, je suis pourri, mais sans fric. J'ai un plan : en sortant d'ici, je prendrai un bateau, un très grand paquebot pour aller loin, le plus loin possible de Resteville. Quand elle me verra en uniforme, Agnès m'épousera... »

Quelques jours plus tard, les enfants furent présentés au juge et un avocat fut commis d'office.

De retour à la maison, je trouvai Titom gigotant par terre, l'écume aux lèvres. J'ignorais qu'il était aussi épileptique. Ma mère s'était mise à pleurer. Mon père ne disait mot. Le mari de ma sœur est venu mettre son grain de sel : il a décrété qu'il fallait hospitaliser Titom. Celui-ci a eu la force de refuser. Sa crise est passée et tout est redevenu normal. Mon père s'est réinstallé sur le balcon et s'est remis à observer ce qui se passait dans l'immeuble d'en face. Ma mère a regagné sa cuisine et je suis repartie à la fac.

Il m'arrivait parfois de me planter derrière mon père et de regarder ce qu'il regardait. Les murs de l'immeuble d'en face ne dissimulaient plus les problèmes : ils étaient même exposés aux fenêtres.

La famille Bachir, des Marocains, logeait au troisième. Le père travaillait en usine. Les quatre filles étaient toutes grosses, le fils n'aimait pas l'école. Pour la peine, le pauvre Bachir les frappait. Il s'enfermait avec l'un de ses gosses et le tabassait. Jusqu'au jour où la police ouvrit une enquête. Bachir ne comprenait pas trop ce qui lui arrivait. S'il corrigeait ses enfants, c'était pour leur donner une bonne éducation. Dans son pays, chacun faisait de même. Non seulement il reçut un avertissement, mais il cessa d'avoir une quelconque autorité sur sa progéniture. Le garçon se mit à fumer du hasch. Les filles se mirent à sortir sans autorisation. L'une d'elles, Hanya, commença à perdre ses cheveux. Influencée par une psychologue, elle accusa son père d'être à l'origine d'un traumatisme qui la faisait devenir chauve ! Elle portait des foulards, mais, peu désireuse qu'on la confondît avec une sœur musulmane, elle les choisissait de couleurs vives, ornés de dessins de fantaisie. Hanya n'aimait guère ses sœurs mais avait un petit faible pour son frère qui la sortait et lui présentait des garçons à la sortie des cours de karaté. Chacune des trois autres filles avait son problème. Bachir en parlait partout, intarissablement. Il fréquentait la mosquée et priait que Dieu l'aidât à supporter ces adolescents aussi turbulents qu'insolents. Enfant, lui-même avait toujours respecté ses parents, qui le bénissaient. Devenu adulte, son ratage avec sa propre progéniture était total et il ne savait quoi faire pour en sortir. Khadija, l'aînée, se sentait mal dans son corps. Timide, elle se rongeait les ongles et n'avait jamais eu de relations avec les garçons. Alors que les autres filles de sa classe changeaient souvent de petit ami, elle collectionnait les boutons sur le visage et accumulait les kilos. L'année du bac, elle fit une dépression et fut hospitalisée plusieurs mois. Radia et Leïla, les jumelles, ramenaient de l'école des bulletins hérissés de mauvaises notes. Bachir rendait leur vie en France responsable de tous ces échecs. Un jour d'été, il décida de repartir pour son village marocain, fit les bagages, remplit la voiture de tous les objets qui pouvaient être utiles, mais ne put finalement partir : les enfants refusaient de le suivre. Hanya lui conseilla de s'en retourner seul au pays. Son épouse gémissait. Il demeura prostré des heures durant au volant de sa voiture immobile, le visage enfoui dans ses mains, ne sachant plus s'il devait partir ou rester...

Au quatrième étage habitait la famille Gharib. Problèmes classiques : un fils de vingt ans faisant de fréquents séjours en prison, un autre en baguenaude, dont on disait qu'il travaillait avec des gens de la mafia. Les filles étaient toutes caissières de supermarché. Le père, retraité, passait ses journées au bistrot *Chez Mohand*. La mère brûlait de l'encens sur le balcon chaque fois que son grand voyageur de fils rentrait, fringant et gominé, les bras chargés de cadeaux.

Sur le même palier, Mme Germaine, spécialiste en mariages blancs. On disait d'elle beaucoup de bien et un peu de mal. Ancienne pute, elle s'était reconvertie dans les arrangements matrimoniaux. La famille Barrier, qui habitait au-dessus, la détestait, l'accusant de fabriquer de faux Français. Maintes fois dénoncée, Germaine se débrouillait toujours pour s'en sortir. On disait aussi qu'elle était la maîtresse d'Omar, le footballeur, qui était bien plus jeune qu'elle. Les autres femmes râlaient, ne comprenant pas comment elle avait pu séduire un si bel homme. On murmurait qu'elle lui organisait des soirées particulières où elle faisait venir de ses anciennes collègues de Paris. On racontait tellement de choses sur elle qu'elle s'en moquait. Elle disposait d'un réseau bien organisé qui lui permettait de tout obtenir. Généreuse avec les gamins, elle était avec moi très serviable. C'est elle qui m'avait remis une photocopie du rapport confidentiel établi à la mairie à propos de notre maison. Comme s'il fallait raser à tout prix cette habitation qui rappelait trop l'Algérie au maire et à ses électeurs. Il est vrai que le maire avait été soldat dans les Aurès en 1960...

Mon père n'ignorait rien de cela, mais demeurait silencieux. Il vieillissait à vue d'œil. Pour ne pas le regarder vieillir, ma mère s'en prenait nerveusement au parquet du salon : à quatre pattes, elle frottait cent fois au même endroit, comme si nous étions revenus au pays. Muet, hors du temps, mon père regardait ailleurs. J'avais de la peine à les voir ainsi.

J'avais aussi de la peine à voir Mme Couteux, assise sur une chaise au balcon de son appartement, grelottant de froid mais attendant du matin au soir le retour de son fils, parti après quelque dispute. Toute sa vie consistait en ceci : attendre ce retour improbable, puis s'installer le soir devant la télé, et s'endormir aux accents tonitruants d'un téléfilm policier. La pauvre se laissait aller, elle ne sortait plus, ne se lavait même plus.

Son chat mourut dans des conditions étranges, empoisonné : de douleur, il s'était éventré avec ses propres griffes. Mme Couteux ne nous aimait pas. En fait, elle n'aimait personne. Seule Mme Germaine était autorisée à s'occuper d'elle. On sut à cette occasion que le fils qu'elle attendait n'avait en fait jamais existé et qu'elle avait lentement basculé dans la folie. Un jour, on apprit qu'elle était morte d'une pneumonie ; mais tout le monde savait que c'était de solitude.

Mon père n'est pas mort de solitude, mais des suites de très profondes blessures. Son corps était en bonne santé ; pas son honneur ni sa fierté. Tout le travail d'une vie avait été balayé d'un revers de main par un maire qui avait gardé en lui la haine de l'Algérie.

Les derniers temps, tandis que ma mère s'inquiétait en permanence, priant plusieurs fois par jour, consultant de vieilles femmes qui prétendaient être en relations avec le grand marabout de Tizi Ouzou, mon père s'était remis à jouer avec moi. Nous inventions nos propres jeux. C'étaient des secrets entre nous deux. Ma mère était trop occupée aux choses utiles de la vie pour s'en mêler. Mes frères et sœurs s'amusaient de leur côté.

C'étaient des jeux à la fois physiques et intellectuels : il était tantôt dromadaire, tantôt éléphant, je montais sur son dos et nous parlions un charabia de mots arabes et kabyles. On avait décrété que c'était une des langues de l'Inde. On se comprenait et on riait. Il avait aussi appris des tours de magie qu'il exécutait assez maladroitement mais qui me laissaient éblouie. Parfois il faisait l'acteur, je faisais le metteur en scène, ou vice versa ; on inventait une séquence et on imaginait des situations extraordinaires. J'étais une reine sans diadème, il était un roi sans royaume, nous finissions clochards endormis sur une bouche de métro. Il était chef d'une tribu de bègues, j'étais un médecin venu les guérir. Il se faisait appeler Antar et me conférait le nom prestigieux de la Kahina, la reine de Kabylie qui avait su résister aux Arabes. Il était adjoint de Sindbad le marin et, à une autre époque, il disait être Saladin. Il était ainsi tour à tour Zorro et Tarzan, Robin des Bois et Ali Baba. Quand je lui lisais des pages des *Mille et Une Nuits*, il se levait et mimait les scènes. Après la séance de lecture, il amorçait une histoire, s'arrêtait et me demandait de poursuivre. C'était un jeu paisible dans lequel nous nous lancions en fin de soirée, quand nous étions fatigués. Il disait : « Il était une fois un homme borgne aux pas de géant et au crâne comme une tête d'épingle... » – et j'enchaînais :

« … qui se dandinait quand il marchait et fumait quand il pensait, ce qui lui arrivait rarement… » Parfois, en remontant le cours d'une histoire, nous nous imaginions au pays, lui en djellaba, moi en tunique longue. Il devenait grave et me parlait de notre histoire, de l'arrivée de l'islam, apporté par des Arabes, et d'une longue série de batailles inutiles.

Mon père ne touchait guère aux livres. En fait, il savait tout juste lire et écrire. Même le Coran, il n'en connaissait par cœur que quelques versets et se trompait quand il lui arrivait de faire ses prières à la mosquée. Il n'avait jamais formé le vœu de se rendre à La Mecque. Il se méfiait des foules. Il croyait en Dieu, mais protestait que cela ne regardait pas les autres. Il répétait le proverbe : « Le trop sort de la tête du fou. »

L'histoire de mon cousin Nourredine nous laissa tous bouleversés. C'était un garçon sympathique qui ne réussissait pas très bien au lycée et s'était mis à fréquenter une bande de délinquants qui lui faisaient fumer du hasch. Ils se retrouvaient dans un hangar désaffecté à la sortie de la ville. Des jeunes y faisaient de la musique, le soir. Dans la journée, des bandes s'y donnaient rendez-vous pour organiser leurs trafics. Nourredine était faible, influençable. Ses parents se querellaient tout le temps et ne s'intéressaient aucunement à lui.

C'est un groupe rival qui finit par le prendre en main. Ceux-là, des barbus, ne fumaient pas, ne se piquaient pas, mais s'évertuaient à répandre l'islam dans la cité. Nourredine était mûr pour tomber sous leur coupe. Il se laissa pousser la barbe, abandonna le lycée, voulut imposer chez les siens une nouvelle manière de vivre : obliger sa mère et ses trois sœurs à porter le voile ; faire les cinq prières quotidiennes ensemble ; surtout, ne plus manger la nourriture achetée avec l'argent de son père qui tenait un bistrot où l'on servait des boissons alcoolisées. Il expliqua que le Coran interdisait non seulement ces boissons, mais leur transport, leur vente, l'argent qu'on en tirait, qui était une souillure, un péché puni par un long séjour en enfer.

Nul dans sa famille ne suivit ses principes ; lui seul appliqua à la lettre ce que la bande de barbus lui édictait. Aucune discussion n'était possible avec lui ; il n'avait que des certitudes. La bande l'approvisionnait en nourriture achetée avec de l'« argent propre », jusqu'au jour où la plupart des membres du groupe partirent se battre en Algérie. Nourredine tomba alors malade. Il ne mangeait plus, rata deux ou trois réunions. Se sentant abandonné, il pleura, s'enferma dans sa chambre, refusant d'avaler ce que lui préparait sa mère, bien que celle-ci lui jurât que l'argent des victuailles ne provenait en rien du bistrot, mais de son oncle le maçon. Il n'y avait rien à faire. La nuit, il avait la fièvre, délirait, se prenait probablement pour quelque prophète. Quand le médecin, appelé d'urgence, vint l'examiner, il le repoussa au nom du Coran, le traitant de mécréant, d'ennemi de l'islam. Le pauvre Nourredine n'avait plus sa tête. Il succomba dans son sommeil, les mains accrochées au Saint Livre.

Ses parents préférèrent dire qu'il était mort d'un arrêt du cœur. Les voisins, eux, dirent que c'était d'une overdose.

C'était en juin 1989, je passais alors ma licence d'économie et venais de me séparer de Marc, parti pour les Antilles où on lui avait proposé de s'occuper d'une école pour enfants en difficulté.

Mon père nous quitta en septembre. Il s'était assoupi et rendit l'âme sans souffrir ni déranger personne. Ma mère avait l'habitude de le voir sur le balcon ; elle l'avait appelé à plusieurs reprises. Le soleil s'était couché, il faisait plus frais. Quand elle s'approcha de lui pour lui tendre un paletot, elle comprit que c'était fini. Elle poussa un hurlement qui alerta tout le voisinage.

À mon arrivée, je vis l'ambulance qui partait.

Je compris que c'était mon père qui s'en allait passer la nuit à la morgue. Il m'avait suppliée de lui éviter cette épreuve. Trop tard ! De toute façon, il ne sentait plus rien. Ni le froid ni le chaud. Ce n'était plus mon père. C'était devenu une chose. Mon père, je l'avais désormais dans la tête. Je ne pleurai pas, ne me lamentai pas.

Ma mère trouva moyen d'accuser la pauvre Mme Germaine de nous avoir jeté le mauvais œil. Je la laissai croire tout ce qu'elle voulait. Tout est bon pour apaiser la douleur.

Le chagrin s'était installé en moi pour une longue durée. J'allais rêver de mon père toutes les nuits. Dès que je fermais les yeux, je le voyais. Il me souriait, mais, quand il me parlait, je n'entendais pas sa voix. Je lisais sur ses lèvres. Il me donnait de ses nouvelles.

Le plus pénible, ce fut l'après : il fallut faire des démarches à la mairie et au consulat pour transférer le corps à Tadmaït. Que de paperasses à remplir, que de preuves à fournir ! Le plus difficile fut d'obtenir le certificat de décès. Il y eut confusion. On s'était trompé de nom. Peut-être faillis-je partir au bled avec un autre mort. Mon père, lui, s'en moquait sans doute pas mal.

L'enterrement eut lieu par une belle journée calme et blanche. Il y avait des gens qui lisaient le Coran ; les autres pleuraient. Je dormis dans la maison de mon grand-père, seule en compagnie de deux vieilles qui ne savaient parler que le kabyle. Je me sentais en terre étrangère. Le lendemain, je n'avais plus rien à faire dans ce pays. Je mis une journée pour rejoindre la capitale. Partout où j'allais, j'avais l'impression d'avoir oublié quelque chose ou quelqu'un. C'est à l'aéroport que je sus que mon père allait désormais me manquer terriblement.

Titom avait trouvé du travail chez un menuisier kabyle. Kader, le mari de ma sœur, prenait du ventre. Arezki avait ouvert un deuxième magasin de pièces détachées.

Ma petite sœur fit sa première fugue, elle décida en outre de redoubler sa troisième, malgré ses bonnes notes. Je ne pus me maîtriser et lui donnai une gifle. Elle me lança que j'étais jalouse de sa beauté, de ses succès avec les garçons. Elle voulait redoubler pour ne pas quitter son ami, Daniel, un petit mec aux yeux bleus et aux cheveux blonds tout bouclés. Rien à faire : elle avait convaincu la directrice, expliquant qu'elle était faible en maths et préférait recommencer son année pour ne pas rater son bac plus tard. Je laissai entendre à ma mère que Radya redoublait parce qu'elle était perturbée par la mort de notre père. J'étais prise par tant et tant de réunions que je n'avais plus le temps de m'occuper d'elle. Elle me donnait beaucoup de soucis. L'Association aussi.

Après l'assassinat de Kamel Mellou, nous avions fait imprimer une affiche avec sa photo, pour ne pas oublier. Sous son portrait, deux dates : 1973-1991, suivies de A.J.R. Ça sonnait comme le nom d'un club de foot : Association des jeunes de Resteville. Nous souhaitions empêcher d'autres meurtres de Maghrébins. Aux yeux de tous, je devais être la présidente. Je n'avais que faire du titre, mais il fallait se décarcasser, prendre des contacts, être crédible, se faire respecter. J'avais la rage et l'expérience. La mairie n'était plus communiste ; la droite était de retour. M. Bourru s'était recyclé dans l'appareil du Parti ; il n'habitait plus Resteville. Le nouveau, un homme sec et courtois, n'avait pas quarante ans. Les souvenirs d'Algérie ne l'obsédaient pas.

Les mots d'ordre s'étalaient sur les murs du petit local de l'Association : VIVRE, PAS SURVIVRE ! – ÉGALITÉ, ÉGALITÉ ! – KAMEL A TOUTE LA MORT DEVANT LUI POUR DORMIR ! – REUB ABATTU = 6 MOIS AVEC SURSIS – ON EST JEUNES, PAS LE TEMPS D'ATTENDRE ! – LA VÉRITÉ, ILS LA METTENT PAS ! – LE SOLEIL DANS LE TROU ! – LA LUNE DANS LE MAQUIS ! – SES PARENTS NE JOUAIENT PAS AU TENNIS – ON VEUT PLUS TRINQUER ! – ON VEUT

PLUS VIVRE MORTS DE TROUILLE ! – FAUT PLUS NOUS PRENDRE POUR DES OUFS...

Je ne connaissais pas bien Kamel. Il était plus jeune que moi. C'était un bon gars, sportif et consciencieux. Il aimait sortir, avait du succès avec les filles. Sa mort nous délogea de nos petits conforts. Nous nous sentîmes tous visés par cette liquidation. On en venait à se dire : « Qui sera le prochain ? » On en venait à penser qu'il fallait ériger un monument aux morts à l'entrée de chaque banlieue où vivaient des immigrés : MORTS POUR RIEN. MORTS PAR INADVERTANCE. MORTS POUR UN CROISSANT VOLÉ. MORTS POUR DÉLIT DE FACIÈS. MORTS SANS INTENTION DE LA RECEVOIR... Devant chaque nom, on inscrirait l'âge. Tous les ans, on ferait la moyenne. Elle ne dépasserait sûrement pas dix-huit ans.

On est foutus. Pas prévus. Ni programme, ni projet. On est juste bons à se faire repérer par les vigiles et les flics. On a regroupé les familles bien en tas, puis on les a oubliées comme de vieilles fringues glissées sous un lit. Qu'elles se débrouillent. Ça n'est plus notre problème. Ils font des enfants ? Et alors ? Ces enfants sont mal élevés ? Et alors ? Mal accueillis à l'école ? Et alors ? N'ont pas où jouer ? C'est pas notre problème ! Ils cassent tout ? On les casse. Ils gueulent ? On les frappe. Ils brûlent les autos ? On les met au trou. Ils récidivent ? On les expulse. Ils sont français, vous dites ? Pas vraiment. Pas de sous ? Nous non plus. Retour à l'envoyeur. Retour au bled. Qu'ils aillent s'occuper des chèvres et des boucs ! Ils parlent pas la langue ? C'est la faute aux vieux. Pourquoi ils sont là ? C'est la faute à de Gaulle. Tu dis qu'ils sont un demi-million ? Ça fait une grosse ville de province ou trois arrondissements de Paris. On les mettrait tous ensemble dans un grand stade, ils seraient bien entre eux. Sympa, non ? Une ville sans murs, sans maisons, avec de simples trous pour se reposer, des fours pour se réchauffer l'hiver, des tentes pour rappeler le bled, un vent glacé pour fouetter la paresse, de la pluie pleine de suie pour nourrir les poux sur la tête, des miradors, des hélicos tournoyant sans cesse pour faire peur, le premier qui lève la tête, on tire dessus. Un demi-million, c'est inespéré ! Qu'est-ce qu'on attend pour agir ?

Qui parle ? Qui dépose ces mots dans ma cervelle ? Qui alimente cette braise qui m'empêche de réfléchir posément ? La mort de Kamel est mauvaise conseillère. Faut pas se laisser aller, non, je ne peux pas me permettre de devenir folle ! Titom a besoin de moi, surtout depuis que mon père n'est plus là et que ma mère reste toute la journée à cultiver ses superstitions. J'ai appris que, depuis peu, elle allait consulter un charlatan imberbe, un garçon de seize ans qui fait soi-disant marcher les paralytiques, rend la vue aux aveugles et guérit les pires cancers ! Elle y croit ! Mais ce qu'elle a, ni un médecin ni un charlatan ne sauraient le guérir. Elle a le malheur au bout des doigts. Il y a de la fatalité dans ses larmes. Il suffit qu'elle pleure pour que ce qu'elle redoute advienne ! Je passe mon temps à la supplier de garder les yeux secs.

Elle était déjà en train de pleurer, assise sur un tabouret de la cuisine, quand je lui ai annoncé la mort de Kamel. Elle n'en a été nullement étonnée. Elle avait commencé à gémir avant même que la bagarre ait éclaté. Elle pressentait un malheur. Elle ne savait pas pourquoi elle s'était assise à la cuisine, ni pour quelle raison les larmes s'étaient mises à couler le long de son visage. On pouvait imaginer qu'elle se lamentait sur son propre sort, qu'elle revisitait certains de ses rêves où des objets et des plantes lui parlaient, annonçant des séries de catastrophes. Ma mère aurait pu être voyante, sauf qu'elle n'aurait jamais vu se dessiner dans sa boule de cristal que des agonies, des accidents mortels, des tombeaux ouverts...

Je repense à la cité sans murs et sans maisons... Cinq cent mille trous pour régler le problème d'une génération oubliée. Consommer le sacrifice de ceux qui ne savent rien par ceux qui savent. De ceux qui ne comprennent rien à ce qui leur arrive par ceux qui se prétendent responsables.

Le vieux Brahim, père de neuf enfants, ne travaille plus et vit des allocations familiales. Cela fait longtemps qu'il ne sait plus ce que font ses filles ni ce que fomentent ses garçons. Il a baissé les bras, sombre lentement dans un état d'abandon. Il voit ses enfants entrer et sortir, ne se demande même plus d'où vient l'argent qu'ils dépensent. La mère le sait, elle, mais ne pipe mot. À quoi bon remuer la charogne ? La honte n'est plus de mise. La pudeur, on l'a laissée au bled. Ici, on a été dépouillés de ce qui faisait de nous des personnes. Qui s'en soucie ? Khayra se prostitue. Et alors ? Hamza se drogue. Qu'y faire ? Mustafa est en train de crever du sida. Il a été pris en main par des militants qui l'aident à supporter son mal. Il va mourir et le sait. Seule sa mère lui rend visite. Le père, au bistrot, joue aux dominos. Doux et raffiné, Mustafa faisait du théâtre, avait l'âme artistique, il aimait Mozart et Pirandello, lisait beaucoup. Mais Mustafa se piquait. Plus par contagion que par plaisir, et peu de fois, mais cela avait suffi pour qu'il attrape le virus. C'était le meilleur de tous, mais même les meilleurs se cassent les dents quand ils sont de Resteville. Putain de ville ! Quelle merde !

J'ai vu l'autre jour à la télé comment on a dynamité deux grands immeubles. Impressionnant : ils se sont effondrés sur eux-mêmes en quelques secondes, dégageant des tonnes de poussière, sans ébranler ni déranger leurs voisins. Ah, si on pouvait faire de même avec ceux de chez nous, nos pièges à malheur ! On pourrait enfin faire table rase, se retrouver dans un espace sans clôtures, sans rien, et tenter de repartir de zéro. On pourrait imaginer qu'on mérite une autre chance. On pourrait s'inventer une autre vie, comme si on écrivait un roman aux personnages optimistes, dotés de racines qui les nourrissent et les dynamisent et non qui les condamnent à s'étioler à l'arrière. On pourrait se figurer une maison avec des fenêtres donnant sur un jardin fleuri, un horizon accueillant, d'autres maisons où filer le parfait bonheur, à tout le moins cette sérénité des êtres fiers de ce qu'ils sont, occupés à persévérer dans le meilleur d'eux-mêmes...

J'arrête de rêver à haute voix. Je glisse tous ces mots dans la pliure de mon carnet puis le referme. Son papier reste imprégné d'une odeur d'encens. La mort a l'odeur de l'encens qu'on brûle aussi bien pour les festivités que pour les funérailles. La mort feint de nous renvoyer loin en nous-mêmes, mais si elle nous fait à nouveau miroiter les jours clairs de la petite enfance, c'est pour mieux nous couvrir de terre et de ténèbres. Au souvenir de ce parfum, je songe à Kamel.

Quand les copains de l'Association sont venus me dire : « Faut que tu te présentes aux cantonales ! », j'ai eu l'impression d'avoir pris un coup de vieux. J'avais pourtant à peine vingt-quatre ans, mes études étaient terminées, je cherchais du boulot.

La politique m'horripilait. Pas question de m'y embringuer ! Pour y faire carrière, il faut savoir manier les mensonges et les illusions. Ce n'était ni mon style, ni ma baraka. D'un autre côté, il fallait bien y aller, ne pas se dégonfler. Ne pas laisser toujours la place aux mêmes, aux sortants. Et puis, je pensais à mon père : il aurait été fier que sa fille fasse partie de cette nouvelle race de Françaises pas très blanches de peau, mais avec une farouche envie de vaincre dans leurs yeux brillants, leurs poings serrés. Mon père me taquinait à cause de ma petite taille ; je n'en ai jamais fait un handicap, encore moins un complexe.

Aux élections, ce fut un bide. Il paraît que c'est souvent comme ça, la première fois. Je me dis qu'aux législatives, ça irait sans doute mieux ! Pour l'instant, je ne faisais pas le poids face à la machine RPR-UDF-divers droite. Quant aux communistes, ils étaient plutôt surreprésentés dans le coin, comme une espèce en voie d'extinction dans sa niche écologique d'origine.

L'expérience s'était révélée harassante. On perdait son temps dans des réunions ou à des parlotes au fil desquelles on finissait par oublier l'essentiel. J'avais pris la précaution de ne pas couper tous liens avec la fac. Je décidai de préparer un diplôme d'urbanisme et un autre de sociologie. Je mis les bouchées doubles : bien obligée, pour vaincre. Question de principe : il y avait tellement de paumés, d'amochés, de handicapés autour de moi que je m'étais interdit de trébucher ou de faire les choses à moitié. Mon père avait honte quand on montrait à la télé des Arabes à qui on avait retiré leur dignité. Il disait qu'on ne parlait de nous qu'en cas de malheur. Parfois il ajoutait : « Sais-tu, ma fille, ce qui a empêché les Arabes d'avancer ? Une simple expression qu'on emploie chez nous : *Qdi haja* ! Il n'y a pas d'équivalent en français. Ça veut dire en gros : arrange-toi pour être médiocre, il ne t'arrivera rien de mal. C'est le contraire de la rigueur, on s'en fiche, on préfère bâcler. D'ailleurs, quand on fait réparer un appareil par quelqu'un de chez nous, tu peux être sûre qu'il ne serre pas les boulons. Voilà notre drame : le laisser-faire, laisser-aller. Tu comprends pourquoi la confiance manque même entre nous ?... »

Pas question de ne pas serrer les boulons. J'étais moi-même une machine qui devait se réparer toute seule. Quand j'en vins à passer le permis de conduire, je respectai si bien les consignes que le moniteur s'énerva, me recommandant de me montrer un peu plus souple. C'est vrai, la « souplesse » n'était pas mon fort. J'avais trop peur qu'elle ne se confonde avec la faiblesse, l'amateurisme...

Mon père aurait été plus heureux s'il était né sous d'autres cieux. Il n'en finissait pas d'énumérer nos tares nationales : manque de ponctualité, manque de sérieux, manque d'ordre, manque de sens de la liberté. Il disait : « La France s'est arrangée pour aggraver nos défauts, elle nous a voulus soumis, résignés. Après la guerre d'Algérie, elle ne nous a pas vraiment admis. Tous nos malheurs sont venus de là. Mais si nous en sommes là, avec nos enfants délinquants, drogués, dealers, sans occupation, sans jeux, sans morale, c'est notre faute. Il fallait encore se battre, et nous étions trop fatigués. Quand un gamin manque de respect à son prof, c'est qu'il insulte déjà son père à la maison. J'ai vu des adolescents faire un bras d'honneur à leur père, d'autres poser leur main sur leur sexe face à leur prof. Que faire ? Tout a foutu le camp. Toi, tu as la haine ; moi, j'ai la honte. Heureusement que tu es là ; chez nous, ce n'est pas encore catastrophique. Enfin, on n'est pas trop mal. Mais tu as vu les enfants de Brahim ? Au début, il s'enfermait avec chacun d'eux et le battait jusqu'au sang. Ils y passaient tous à tour de rôle. À la fin, c'est lui qui s'est mis à pleurer. Il versait des larmes sur sa vie, des larmes d'aversion pour ce qu'il était devenu, lui qui avait débarqué en France avec l'espoir de mieux vivre. Mais était-il vraiment en France ? Son pays, son bled, il le portait avec lui partout où il allait. À l'époque, il faisait des kilomètres à pied pour aller acheter une viande de troisième choix chez un boucher musulman. Je ne comprenais pas, ses enfants non plus, car, pendant ce temps-là, tout se dégradait autour de nous, personne ne se souciait de ce que nous allions devenir. C'était l'époque du regroupement familial. On voyait affluer des voitures pleines à craquer d'enfants, d'ustensiles, parfois de volailles. L'Algérie entière déménageait. Pour un peu, ils auraient arraché leurs oliviers pour venir les replanter à Sarcelles ou à

Poissy. Et ils se préoccupaient de savoir si la viande qu'ils mangeaient était égorgée selon la tradition. En attendant, les enfants qu'ils amenaient ou qu'ils allaient faire seraient voués au désordre, à la déchéance précoce, cassant tout pour le plaisir de casser : vitrines, voitures, mais aussi leur propre vie... Quels dégâts ! Je ne comprends pas toute cette violence que les gamins ont dans la peau. On dirait qu'ils naissent avec. Je vous ai regardés grandir avec cette obsession : mes enfants vont tout casser. Vous n'avez rien cassé du tout, sauf Titom, un peu, avant son accident. Mais, quand je considère ce qui se passe autour de moi, je me dis qu'on a eu de la chance. Il faudrait commencer par éduquer les parents ; on organiserait des cours du soir : vous ne pouvez plus vous contenter de vous débarrasser de vos gosses dans la rue ou à l'école, voici comment les élever. Ce serait la révolution... Tu vois, ma fille, je parle comme un vieux radoteur... »

Il n'était pas si vieux, mais aimait observer ce qui se passait autour de lui. Il n'avait guère d'amis. Il s'était comme retiré du monde et le regardait à distance se faire puis se défaire. Cela lui tirait un sourire, parfois.

Il lisait plutôt mal. Ce n'était pas que sa vue fût mauvaise, mais il n'avait jamais fréquenté l'école. Il avait appris à lire à la CGT qui organisait des cours d'alphabétisation, le dimanche. Il s'y rendait un peu à contrecœur, s'appliquant à ne point montrer sa gêne. Dès qu'il avait su déchiffrer, il avait déserté les cours. Plus tard, il me demanda de lui faire la lecture. On étudiait ensemble mes cours de français. Ça l'amusait de répéter après moi, avec un accent particulièrement accusé. Il roulait alors les *r*, comme au pays. En temps normal, il ne les roulait pas. Chez lui, c'était une façon de rappeler d'où il venait tout en s'exprimant dans une autre langue. Un jour, je lui demandai pourquoi il changeait de ton et d'accent quand il parlait français. Il parut étonné : il ne le savait pas lui-même. Son français était truffé de vocables arabes. J'essaie de ne pas tomber dans le même travers. C'est plutôt l'inverse : je parle assez mal l'arabe, et du kabyle je n'ai retenu que quelques mots. Mais ces mots-là, parce qu'ils sont rares, je ne saurais sans doute pas les faire mentir.

Je fais peur aux mecs. Quand ils me rencontrent, ils baissent les yeux. Je ne sais pas ce qu'ils s'imaginent, mais quand ils ne m'agressent pas, ils préfèrent m'éviter. Hamid est un bon copain. Marocain, célibataire, grand séducteur, il connaît tout sur le cinéma. Il m'a expliqué un jour pourquoi les mecs changeaient de trottoir quand ils me voyaient : « Tu t'habilles comme un garçon et on a l'impression que t'es toujours prête à la bagarre. T'as tout le temps les manches de ta chemise ou de ton blouson retroussées. Le mec se dit qu'avec toi, même si t'es attirante, il n'aura pas le dernier mot et que s'il a une parole de travers, tu lui flanqueras des baffes. Celui qui a des intentions sérieuses se dit qu'à la maison, tu seras bien capable de lui mettre un tablier et de le laisser à la cuisine en tête à tête avec les marmites. Et puis, tout le monde sait que t'as une petite préférence pour les Européens. T'aimes pas beaucoup les types de chez nous. Tu ne sais que les fusiller du regard. Pour toi, ce sont tous des faux jetons qui passent leur temps à battre leur femme et à empêcher leurs sœurs de respirer. T'aimes pas trop te risquer avec ces gars-là. Et puis, tu fais une fixation sur le mari de ta sœur, le type qui se fait servir par sa femme, qui va voir les putes, mais assez hypocrite et malin pour passer aux yeux de la famille pour un homme bien... Il faut reconnaître que tu ne fais pas beaucoup d'efforts. Tu devrais de temps en temps ôter ton jean, tes baskets, ton blouson de casseuse. Bon, tu peux ne pas te maquiller, c'est pas grave, tu n'en as pas besoin, mais si tu mettais un jour un peu de khôl autour de tes yeux, ça ne gâcherait rien. Et puis, sois moins brusque, prends le temps de respirer, de jouer, et même de ne rien faire ! T'es trop sérieuse. C'est bien de refuser la galère, c'est même tout à ton honneur, mais arrête de t'esquinter. Regarde, tu portes ton blouson comme si c'était un voile : on ne voit pas tes formes, je ne sais même pas si tes seins sont petits ou gros, si tes hanches sont larges ou étroites. Tu marches comme sur un ring. Arrête-toi un peu, regarde-toi dans une glace, pose tes fesses sur une chaise, pense à la douceur et à la légèreté de l'existence ! T'es pas dans la galère. Profites-en ! Des raisins, il y en a. Tu as mérité de les cueillir. Sors de ta réserve, oublie tes préjugés. Tous les Arabes ne sont pas comme le mari de ta sœur ! Tu ne serais pas un peu raciste, des fois ? Même pas : tu ne laisserais jamais quelqu'un maltraiter un Arabe. Mais t'en veux pas dans ta propre vie. C'est ton droit. Peut-être même que t'as raison. Mais sois un peu plus souple ! C'est une forme d'intelligence de savoir vivre avec les autres. Toi, tu as choisi : tu te bats tout le temps. Tu ne veux surtout pas qu'on t'assimile à cette génération perdue. Si tu ne tiens pas en place, c'est pour vivre debout, et avancer, avancer... »

Marc, lui, aimait me raconter son enfance à Brest, puis son adolescence dans un quartier de banlieue. Il m'en parlait avec de la tristesse dans les yeux. Il me disait : « Ce sont les traces d'une vieille blessure. » J'ignorais ce qu'il y avait derrière ces mots. Mais j'avais le pressentiment qu'il partirait un jour, poussé par quelque chose qui lui faisait encore mal.

À présent, je sais que c'est avec lui que j'aurais dû faire un enfant. Il le désirait, mais il avait peur. Je ne l'ai appris que plus tard, dans la lettre qu'il m'a écrite et adressée depuis les Antilles :

Nadia,

Je te dois des excuses et une explication. Je suis parti sans prévenir, j'ai quitté la France comme un voleur. C'était plus fort que moi. Maintenant, je peux te dire le pourquoi de cette fameuse tristesse qui me laissait sans voix. Je suis, comme on dit, un enfant de nulle part ; mes parents ne sont pas mes parents ; mon nom n'est pas mon nom. La vie m'a été prêtée comme un objet emprunté aux voisins dans l'attente de jours meilleurs. Je suis un enfant trouvé comme on en voit dans les contes, abandonné sous le porche d'une église par un matin d'hiver. Ce ne sont pas mes parents qui m'ont appris la vérité. C'est le hasard. En fouillant dans un tiroir, je suis tombé sur divers papiers. Cela fait plus de dix ans que je vis avec ce secret. Je n'ai pas osé en parler avec ma mère qui est malade. Son cœur risquait de flancher. Je me suis tu, j'ai tout gardé pour moi.

Ce qui m'avait attiré vers toi, c'était la couleur de ta peau, c'étaient tes origines. Car je suis certain que moi aussi, je viens du pays de tes ancêtres. J'ai les cheveux d'un petit Algérien et les yeux d'un petit Français. À travers toi, je me cherchais, j'étais à la poursuite de mes racines. Le travail auprès des gosses remplissait le même office. C'était mon autre visage que je cherchais sur celui de ces gamins. Je voulais leur emprunter des souvenirs, me remplir d'images, des bruits et des parfums de leur mémoire.

Avec toi, mes angoisses s'éloignaient. Je me sentais bien, à l'aise, tu me rassurais sans le savoir, sans rien dire ni rien faire de particulier, simplement en étant là, disponible. Avec toi, j'ai découvert l'amour tranquille, sans violences ni conflits. Une amitié mêlée à du désir. Tu étais, tu es encore ma sœur, mon double qui s'ignore, et je suis heureux de penser à toi. J'aurais voulu un enfant pour nous deux. Je n'ai pas osé t'en parler. Je ne devais pas être très rassuré sur ma capacité d'être père. C'est sans doute mieux ainsi. À présent que je suis physiquement loin de Resteville, je vais m'employer à trouver seul la solution de mes problèmes. On m'a offert un bon boulot, toujours à m'occuper de gamins. J'ai besoin de ce recul pour voir plus clair en moi-même. Je reviendrai un jour. Sache que tu es restée dans mon cœur et que, grâce à toi, je vais beaucoup mieux. Quand je broie du noir, il me suffit de penser à toi, à tes yeux, à ta voix, et je sens ma tristesse se délayer comme sous une pluie sucrée. Merci d'exister. Je t'embrasse.

Marc.

Ce n'est pas vrai que je fais peur aux mecs. Marc s'est toujours senti à l'aise avec moi. Il me le disait souvent. Il me manque. Depuis son départ, je rêve souvent de lui. Dans mes rêves, il a pris des couleurs.

Ce n'est pas vrai que je fais fuir les mecs. Juste après la lettre de Marc, j'en ai reçu une autre d'un inconnu, un admirateur. Elle n'est pas signée. C'est certainement la lettre d'un poète. Officiellement, nous n'avons pas de poète à Resteville. À moins que ce soit mon ancien prof de lettres de terminale ? Lui, c'est un romancier. Il aime beaucoup son métier, mais perd la tête avec les filles. À l'époque, il me draguait avec humour. Il me faisait rire. Je pense que c'est lui. Il m'avait donné son numéro de téléphone à la maison. Les élèves venaient parfois le consulter sur leurs problèmes personnels. Sa femme lui pardonnait tout tant qu'il s'agissait du lycée. Si c'est lui qui m'a écrit, je le saurai. Mais je ne me vois pas vivre avec un poète ! Encore moins avec un poète romantique ! Je ne peux pas me payer le luxe de me faire rouler à cause des sentiments !

Le mari de ma sœur, lui, n'est pas du tout romantique. Il dit exactement ce que les familles de chez nous attendent. C'est un flagorneur et un grossier personnage. Avec mes frères et cousins, je reste aussi sur mes gardes : il vaut mieux, sinon ils te déclassent en un rien de temps. Ils te passent dessus, puis s'éloignent en se retournant pour rigoler.

La solitude ne me fait pas peur. Je sais bien que c'est la hantise des filles. Elles en parlent tout le temps, mais à vouloir y échapper à tout prix, elles se retrouvent plus seules que jamais aux côtés de mecs ringards, égoïstes, vieillis avant l'âge. M'en fous d'être seule. En vérité, je ne le suis jamais. Je suis toujours en compagnie de mes projets. Ce qui manque le plus aux types de chez nous, c'est l'ambition. Ils sont petits, voient petit, restent petits, crèveront petits. Mon frère Aziz n'a rien trouvé de mieux que de reprendre la place de mon père à l'usine, exactement comme ce dernier avait fait avec le sien. Solution commode : pas la peine de faire travailler ses méninges.

Ouvrier chez Renault de père en fils : belle promotion sociale ! J'en veux d'autant plus à Aziz qu'il était doué pour le foot. Il aurait pu devenir un grand joueur dans une équipe importante. Mais il aurait fallu prendre le sport au sérieux, avoir envie de réussir, de devenir quelqu'un, de quitter cette petite vie sans histoires qui ne fera jamais le quart de la moitié d'un destin. Non, il s'est laissé glisser dans le j'm'en-foutisme, l'à-quoi-bon. Dieu sait pourtant si mon père aurait souhaité voir ses fils faire autre chose qu'OS chez Renault ! Finalement, c'est sa fille qui a décidé de relever le défi pour toute la famille.

C'est vrai, je ne suis pas modeste quand je me retrouve au milieu de tous ces mecs qui ne font rien, qui passent leur temps à attendre. À attendre quoi ? Ils ne se le rappellent plus très bien, peut-être même font-ils exprès de ne plus s'en souvenir : c'est plus commode. Ils me sortent des yeux. Je leur en veux. En classe, ils s'arrangent pour accumuler les échecs ; en famille, ils se conduisent comme des pachas ; dans la rue, ils traînent ou se contentent de boulots louches. Je ne suis pas fière de mes frères. Ma mère ne comprend pas pourquoi je suis tout le temps en train de vaquer à des choses qui m'intéressent. Elle dit que je suis l'homme de la maison ; dans sa bouche, ce n'est pas un compliment. Plutôt une erreur d'aiguillage. Elle est persuadée que je ne serai jamais mère de famille, que je ne fonderai jamais de foyer. Pour elle, je passerai le reste de mes jours en réunions à défendre la veuve et l'orphelin. Elle me reproche de ne pas assez penser à moi, à ma vie, à mon avenir. Elle n'a rien compris : en m'occupant des autres, je pense précisément à moi, à ma vie et à mon avenir. Mon père, lui, l'avait très bien compris. C'est pour ça que je l'aimais beaucoup. Il me regardait avec des yeux éteints mais heureux. Il savait qu'il n'était pas pour moi un modèle, et il me donnait raison. Un tourneur-fraiseur qui use son corps en usine ne peut être un modèle d'ambition pour ses enfants.

J'avais surnommé Aziz « le Champion ». Il était fort, beau, intelligent. Il ne fumait pas, ne buvait pas d'alcool. C'était un artiste du ballon. Ce qui allait ruiner ses espoirs de sportif, c'était sa paresse, et cette idée que les garçons maghrébins se font d'eux-mêmes : trop obscurs pour réussir, trop de mal à se faire entendre, trop de rivalités déloyales pour arriver au but, manque d'assurance et de confiance en soi. Petit à petit, il a abandonné l'entraînement, s'est mis à fumer, à fréquenter une bande de bons à rien et de petits délinquants. Parmi eux, il y avait Solo, fils d'une

Portugaise et d'un Algérien ; il faisait de la musique dans un garage ; il aurait pu devenir un musicien de qualité, mais la drogue s'en était mêlée et il n'avait plus rien fait de bon. Il y avait aussi Rahim, un grand type maigre aux yeux clairs, qui tombait les filles sans effort. Il faisait l'acteur dans une petite troupe. Mais seul le cul l'intéressait. Jusqu'au jour où il a chopé la syphilis et s'est laissé miner par la maladie. Il y avait enfin Jojo, un drôle de gars qui ne parlait pas. Il se piquait, puis se mettait à hurler. Jojo n'avait pas de père. Sa mère s'était remariée avec un soldat. On racontait que Jojo l'avait surprise un jour dans les bras de Rahim. Tout compte fait, Aziz était le plus sain de cette bande de ratés, mais ça n'en était pas moins un raté. J'ai cessé de lui en vouloir. Il y avait trop de pressions sur lui, visibles ou indirectes.

On dirait que les garçons sont sollicités dès leur douzième année par l'ange noir de l'échec. Ils s'y préparent dès leur petite enfance. Ils voient leurs grands frères tourner mal et en viennent à croire que c'est ça, la vie. Ils les voient s'accrocher au toc, à la frime, au fric facile, aux bagnoles, faire des virées à Paris le samedi soir et rentrer bourrés, puis dormir jusqu'au lundi. Ils ne trouvent plus leur place dans la maison. Aziz ne faisait qu'y passer. Il se changeait vite, puis s'éclipsait.

Ma mère pleurait parfois. À l'époque, mon père ne disait déjà plus rien.

Aziz était devenu insaisissable. Que faisait-il ? De quoi vivait-il ? Au mieux, de petits boulots. Un jour, je l'ai vu pousser une voiturette pour handicapé. Il s'occupait d'un jeune accidenté de la route, le promenait, le faisait manger, allumait ses cigarettes, lui racontait des histoires. Le jeune homme avait les jambes paralysées et bougeait difficilement les bras. Aziz se montrait très patient avec lui. Quand nos regards se sont croisés, il a eu l'air à la fois gêné et fier. Je l'ai embrassé et j'ai poursuivi mon chemin. Aziz, au fond, est un bon gars. Ailleurs, il aurait fait des choses formidables. Son handicap à lui, c'est d'être né à Resteville, dans une famille d'immigrés, à une époque où il n'y avait personne pour s'occuper de cette génération qu'on a laissée pousser comme le chiendent dans un terrain vague. Tout ce que médias et spécialistes ont trouvé à faire, ç'a été de donner un numéro à cette génération : la deuxième ! Ainsi classés, nous étions forcément mal partis. On oublie que nous ne sommes pas du tout des immigrés : nous n'avons pas fait le voyage, nous n'avons pas traversé la Grande Bleue, nous sommes nés ici, en terre française, avec des gueules d'Arabes, dans des banlieues d'Arabes, avec des problèmes d'Arabes et un avenir d'Arabes. Nous sommes tous nés à l'hôpital de Sarcelles. À l'époque, le bruit courait que c'était l'hosto des Arabes, et qu'il était gratuit. Erreur ! Comme partout ailleurs, l'accouchement était gratuit quand on avait la Sécurité sociale ou qu'on était indigent. Mais rien à faire : toutes les mères maghrébines de la région croyaient qu'elles ne pouvaient accoucher qu'à Sarcelles. De ce fait, je me demande si, en ces années-là, il n'est pas né à Sarcelles plus de petits Arabes que dans notre village en Algérie…

C'est de Sarcelles que Yamina, Kbira et Rosa, trois sœurs belles et intelligentes, furent emmenées au bled par leur père pour les vacances. Dès leur arrivée au village, il brûla publiquement leurs passeports et confia ses filles à son frère, un paysan qui passait son temps à prier et à priser du tabac. Elles avaient treize, quatorze et seize ans. Leur corps était bien formé, surtout celui de Kbira, à qui personne ne donnait son âge et qui avait la plus belle paire de seins du canton. Quand elle passait un pull cintré sur son jean serré, ceux qui la voyaient passer s'en décrochaient la mâchoire. Elle était provocante, mais c'était sa nature. Elle avait grandi subitement, ce n'était pas sa faute si les hommes sifflaient sur son passage. Le père avait pris un coup de sang et décidé en secret de retirer ses filles de la circulation : elles risquaient de susciter un scandale et d'attirer le déshonneur sur la famille. Il avait préparé son coup sans rien en confier à sa femme, et profité des grandes vacances d'été pour les exiler définitivement en Algérie.

À la rentrée scolaire de septembre, la mère est venue expliquer au proviseur que ses trois filles avaient changé de lycée. Les quatre garçons ont repris normalement leurs cours. Ce furent les copines des trois filles qui alertèrent les professeurs. Une lettre signée par Rosa expliquait l'enfer auquel leur père, puis leur oncle les avaient condamnées. La lettre circula à l'intérieur du lycée et même au dehors :

> *Mes chères amies,*
>
> *Je vous écris d'une terre étrangère, un village entre deux montagnes. Je me livre à vous en cachette. Yamina et Kbira montent la garde pendant que j'écris. Je dois vous dire tout de suite que nous ne sommes pas en vacances ici, nous n'avons jamais été en vacances, mais nous sommes en prison, enfermées dans une chambre par notre oncle Mohamed. Il est grand, très barbu et cruel. Il nous a déjà frappées. Nous n'avons pas le droit de sortir. Nous n'avons pas de copines. Ma tante est une vieille*

femme presque aveugle. Elle est malade et passe son temps à dormir. Nous sommes ici contre notre gré. Une fois par semaine, la bonne, une jeune femme analphabète, vient nous chercher pour nous conduire au hammam. Elle nous accompagne et nous offre du Coca-Cola sur le chemin du retour. Nous n'avons pas le droit de parler aux gens dans la rue. Nous portons des djellabas grises qui nous couvrent de la tête aux pieds. Notre visage n'est pas voilé, mais nous ne pouvons plus nous maquiller. Mohamed a confisqué nos trousses de toilette et a tout jeté à la poubelle. Il a cassé notre walkman et nos cassettes. Il a hurlé en nous menaçant de cent coups de bâton s'il nous surprenait à écouter de la musique.

Nous passons la journée à la maison. Un autre barbu vient nous apprendre le Coran. Ma tante nous parle en kabyle ; nous ne comprenons que quelques mots. Mon oncle nous parle français mais nous insulte en arabe. Mon père envoie de l'argent à son frère pour payer notre nourriture. Il lui a dit devant nous qu'il nous confiait à sa bonté. Or c'est un méchant, un mauvais. Il frappe souvent la bonne. Lui-même n'a jamais réussi à avoir d'enfants. Si j'ai bien compris, nous sommes devenues ses filles. Il a droit de vie ou de mort sur nous.

Nous sommes en train de crever à petit feu. Mes deux petites sœurs font des cauchemars et se réveillent la nuit en hurlant. Elles ont peur. Nous avons peur. C'est un SOS que nous vous lançons. Si cette lettre vous parvient, faites quelque chose pour nous. Nous n'avons plus de cartes d'identité. Nos passeports ont été brûlés par notre père. Comment faire pour sortir de cette prison ? Même si nous sautions par la fenêtre, nous ne saurions pas où aller. Pas de papiers, pas d'argent.

Yamina, la plus jeune d'entre nous, ne sait que pleurer. Kbira ne dit rien ; elle se ronge les ongles et reste étendue des heures durant, les yeux au plafond ; elle risque de devenir folle. Nous risquons toutes trois de perdre la raison. Si jamais l'oncle cherche à nous marier de force, je suis sûre que nous préférerons nous tuer.

Il faut nous aider. Au secours ! Alertez la police, faites arrêter notre père, qui est un criminel ! Nous le détestons ! Nous crachons par terre chaque fois que nous parlons de lui ! J'ai peur pour Kbira ; elle n'a plus ses règles. C'est grave. Il nous faut un médecin. Nous ne mangeons même pas à notre faim. Nous ne savons plus rire. Chaque jour qui passe, nous perdons l'envie de vivre. Faites vite, sauvez-nous !

Envoyez des gendarmes ou des gens de la télé !
Help ! Help !

La lettre est arrivée par miracle à Yasmina, Khdija et Géraldine, les meilleures amies de Rosa. Elle avait dû être expédiée par la gardienne du hammam. L'Association en a fait plusieurs copies. Accompagnée de Pierrette, notre avocate, j'ai débarqué un soir chez la famille. Appartement soigné, propre. Aux murs, les portraits des enfants quand ils étaient petits. Deux photos de classe sur lesquelles j'ai reconnu Mme Mercier, mon institutrice, l'air sévère, les cheveux courts déjà blancs, le regard protecteur. J'ai essayé d'y repérer au moins une des trois filles, mais c'est le père qui me les a désignées du doigt. Bien habillé, placide, à peine surpris de nous voir rappliquer chez lui, il nous a dit :

« J'avoue que j'attendais plutôt la télé. Mais, puisque vous êtes là, je suis prêt à m'entretenir avec vous. Que voulez-vous savoir ?

– Avez-vous des nouvelles de vos filles ?

– Elles vont bien. Mon frère les traite encore mieux que moi.

– Pourquoi les avez-vous expédiées en Algérie ?

– Pour ne pas les perdre.

– Mais elles sont privées d'école, elles n'ont pas d'amies, ne peuvent ni sortir ni quitter le pays !

– C'est ce qu'elles disent. Elles sont plus libres là-bas qu'ici. Ici, elles sont menacées par la drogue et par la mauvaise vie.

– Vous n'avez pas le droit de les faire séquestrer !

– Ça veut dire quoi, séquestrer ?

– Enfermer, empêcher de sortir.

– Je suis leur père. J'ai tous les droits. Je suis responsable de leur honneur. Au moins, là-bas, elles apprennent le Coran et respirent un air pur.

– Quand reviendront-elles ?

– Jamais. C'est toute la famille qui repart en Algérie. J'attends que les garçons aient terminé leurs études, puis nous retournerons là-bas. Ça coïncidera juste avec ma retraite. Notre pays n'est pas la France. Je suis fier d'avoir empêché mon fils aîné de prendre le passeport français. Ça ne sert à rien. Passeport ou pas, il restera toujours un Arabe. Il vaut mieux avoir sa propre patrie.

– Votre frère se comporte brutalement avec vos filles. Vous trouvez ça normal ?

– Il agit fort bien. Il est sévère parce qu'il les considère comme ses propres enfants.

– Une plainte va être déposée contre vous. Que pensez-vous répondre ?

– Qu'est-ce que je risque ? d'être renvoyé chez moi ? Ce ne serait pas une punition. Et de quoi vous mêlez-vous ?

– Nous nous mêlons du droit et de la justice.

– Tout ça n'est que du bla-bla ! La France m'empêcherait de donner une bonne éducation à mes filles ? Elle veut nos enfants dans la rue, dans les commissariats ou les prisons ?

– Avez-vous lu la lettre que Rosa a envoyée ?

– On m'en a parlé. Avant vous, le proviseur du lycée est venu. Je lui ai demandé : "Avez-vous des enfants ?" Elle m'a répondu : "Non." Alors je lui ai dit : "Vous n'avez donc rien à faire ici." »

Nous nous sommes levées pour partir, quand nous avons remarqué que la mère nous faisait des signes sans que son mari la voie. J'ai compris qu'elle nous proposait de revenir quand elle serait seule.

Il fallait adopter une autre tactique. Le père était sûr de lui et de ses droits. On s'adressa au consulat d'Algérie : impossible de joindre quelqu'un d'important. Il ne nous restait plus que les médias, mais j'étais bien placée pour me méfier des dérives de certains journaux.

Puis nous apprîmes que Kbira, quatorze ans, la plus fragile des trois, qui s'était murée dans le silence, était morte. Elle s'était ouvert les veines au hammam. Le temps d'appeler les secours, que ceux-ci arrivent du chef-lieu après avoir traversé plusieurs bourgades, Kbira s'était vidée de tout son sang.

Les parents gagnèrent le bled. La petite n'eut pas droit à un enterrement décent. La religion condamne les suicidés à perpétrer leur acte à l'infini. Ayant défié la volonté de Dieu, Kbira fut déposée en terre nuitamment, en cachette. L'oncle ne pria même pas pour son âme.

La famille quitta Resteville. On n'eut plus aucune nouvelle des deux autres filles. Peut-être qu'un jour Rosa prendra par la main sa jeune sœur et qu'elles s'enfuiront le plus loin possible de l'Algérie ? Là où elles n'auront ni souvenirs ni racines ni attaches, là où elles renaîtront comme des fleurs qu'aucune main ne cherchera plus à arracher ?

Il nous arrive à tous de songer à ce pays idéal où vivre serait une belle passion sans brutalité, sans injustice. Ce pays-là doit bien exister quelque part. Entre copines, on l'évoque comme un dernier refuge pour notre solitude, on le décrit, on le construit, on le décore comme font les fillettes quand elles jouent à la vie. On aime à en rêver, comme si cela nous donnait la force de repousser les murs qui se resserrent sur nous. Rien à voir avec un rêve de jeunes filles dans l'attente de leur prince charmant, mais une petite utopie qui habite notre esprit pour ne pas désespérer totalement, ne pas en arriver à s'ouvrir les veines dans une salle de bains de banlieue ou un hammam algérien.

Kbira n'a pas eu le temps de se fabriquer sa petite enclave personnelle où elle aurait pu se rencogner pour ne plus entendre les hurlements de son oncle, ne plus voir ce corps adipeux et puant se pencher sur elle en la menaçant, ne plus sentir les murs humides et angoissants qui la cernaient. Trop jeune, trop innocente, Kbira manquait de force et d'imagination. D'emblée, elle avait préféré ne plus être de ce monde. Elle n'avait aucune envie de se battre. Brutalisée, brisée, elle ne disait rien.

Il m'arrive de la retrouver en rêve. J'ai gardé d'elle une image indécise et changeante. Plus le temps passe, plus je la vois souriante et l'entends chanter, esquisser des pas de danse. Comme si son âme d'artiste se révélait de mieux en mieux dans la mort.

La presse a évoqué ce drame avec des mots malheureux, mélangeant tout : la folie d'un père, le crime d'un oncle, l'islam, la situation en Algérie, l'immigration, la délinquance, le seuil de tolérance, etc., etc. Mon père avait raison de remarquer qu'on ne parle jamais de nous qu'en cas de malheur. Il faut un crime raciste, une bagarre dans un bistrot entre bandes rivales de délinquants parmi lesquels on trouve aussi bien des Français de souche que des Maghrébins ; il faut un drame comme le suicide d'une gamine ou la mort d'une petite Malienne des suites d'une excision ; il faut le braquage d'une station-service ou un contrôle d'identité se concluant par une balle tirée dans le dos d'un Arabe pour que nous devenions des sujets dignes d'intérêt pour la télé et les autres médias. La vie tranquille, le bonheur de vivre en paix ne font pas les bonnes histoires ni les gros titres. Nul besoin de mobiliser des équipes de télé pour faire savoir à la France entière que la famille Belaïd se porte bien, que le père travaille normalement, que la mère s'occupe à la perfection de ses enfants, que la drogue change de trottoir quand elle s'approche de cette famille-là, que les filles sont libérées, que les garçons font des études supérieures, bref, que tout, tout va bien.

Pourtant, ça ferait une excellente émission : « Mesdames et messieurs, nous sommes heureux de vous présenter une famille maghrébine heureuse au sein de laquelle il n'y a ni drogués, ni chômeurs, ni trafiquants, où les filles ne portent ni foulard sur la tête, ni voile sur le visage, où règne un équilibre presque naturel. Une famille respectée et aimée dans son quartier, qui donne envie de considérer autrement le Maghreb, l'islam et jusqu'à l'ensemble du monde arabe. Une famille comme il y en a sans doute des milliers, mais dont on ne parle jamais, parce qu'on n'y pense pas, parce que les mentalités restent vissées aux habitudes et aux préjugés. Or cette famille idéale existe ; nous l'avons rencontrée. D'ailleurs, la fille aînée, Nadia, se présente aux élections sous l'étiquette des Verts... ! »

De fait, on m'avait propulsée candidate aux législatives. J'avais même des petites chances de l'emporter. Il fallait séduire le Parti communiste, le convaincre de nous donner ses voix, bref, faire alliance avec M. Bourru ! Les communistes ne présentaient pas de candidat dans cette circonscription, mais y disposaient d'un pactole de voix non négligeable, qu'ils souhaitaient monnayer. Je tenais à négocier en tête à tête avec M. Bourru. Lui et moi étions les seuls à savoir que nous avions un compte personnel à régler, un passif à apurer. C'était une de mes conditions.

Nous nous retrouvâmes donc dans un café de Saint-Lazare. Il avait vieilli, pris de l'embonpoint, et était beaucoup moins sûr de lui qu'à l'époque où il daignait à peine m'adresser la parole. Il n'était pas à l'aise. Son parti ne lui faisait plus grande confiance. Je m'étais renseignée sur sa situation au sein de l'appareil : pas brillante, sauf qu'il bénéficiait toujours de certains appuis dans les milieux syndicaux. Il pouvait encore influencer des votes. Je lui proposai le marché suivant : en échange des voix de son parti, j'enterre le dossier de notre maison rasée jadis sur sa décision. Au début, il dit ne pas bien voir le rapport entre cette vieille histoire et le prochain scrutin. Il a tort : avec l'aide de plusieurs avocats, j'ai constitué un gros dossier sur l'illégalité de l'arrêté municipal expulsant ma famille et détruisant notre maison. En quinze ans, j'ai réuni beaucoup d'éléments pour mettre en accusation la mairie et démontrer que derrière cette affaire d'esthétique urbaine, il y avait avant tout de la corruption : à la place de notre belle maison, on avait fini par édifier un supermarché ! Bourru répliqua en parlant chantage. Je rétorquai en invoquant le droit à la revanche et la soif de justice. Il étala ses convictions humanistes. Je rigolai. Il essaya de se disculper, rejetant la responsabilité sur un adjoint qui avait été entre-temps exclu du Parti. Il tombait mal : cet adjoint avait quitté le Parti par dégoût et m'avait aidée en me fournissant des documents qui pouvaient se révéler compromettants pour M. Bourru.

J'allais ainsi, le corps en avant, la mémoire retenue, avec la rage de vaincre, d'arriver là où aucun enfant d'immigrés arabes ne s'était encore hissé.

Des enfants de Portugais, d'Espagnols, de Yougoslaves ou d'Arméniens avaient fait oublier leurs origines ; certains occupaient des postes de ministres ou des sièges de députés. À mon tour, j'étais peut-être promise à un destin tout neuf, réservé en principe aux gens bien nés, ceux qui se croient autorisés à parler pour le peuple tout en étant à mille lieues de ses problèmes. Au moins, si j'étais élue, on ne pourrait pas me reprocher de ne pas en être, du peuple !

C'était grisant, tout à coup, de décoller des tracas quotidiens et d'aller contempler depuis tout là-haut ce Val-de-Nulle-Part que je connais à ras de terre jusque dans les moindres détails. Je me sentais proche des étoiles et tendais les bras comme s'il était en mon pouvoir de les toucher. Je me balançais dans le ciel, d'un nuage à l'autre, l'œil gorgé de lumière, le corps détendu, la pensée légère, ne songeant plus à M. Bourru, me voyant déjà élue députée, moi, la petite-fille kabyle de Mohand, arrivé en France le 12 juillet 1932 pour travailler en usine, ne sachant ni lire ni écrire, mais ayant une grande famille à nourrir, une famille qu'il avait laissée à Tadmaït.

Mon père avait été berger, puis agriculteur, puis maçon chez des Français d'Algérie. Un jour, son père était revenu au village, fatigué, usé ; sans même discuter, il avait pris à son tour la route, le 27 août 1961, pour le remplacer au même poste en métropole. Et voici qu'aujourd'hui, moi, Nadia, née en France, devenue française, avec encore de la terre algérienne collée à la plante des pieds, moi, la rebelle qui refuse d'être réduite à la condition de Beur, je me présente aux législatives, et pourquoi pas demain aux européennes ?

Mais il ne faut pas perdre la tête. Oui, calme-toi, prends un verre d'eau, bois-le lentement, apprends à respirer, à maîtriser tes émotions... Ô Nadia, tu m'échappes, j'ai peur pour toi, je crains trop que tu ne chutes et te casses quelque chose... Ta volonté, par exemple, ou ta passion, ou ta vertu ! Tu te rends compte, tu veux faire de la politique, fréquenter des gens pas très nets... Assieds-toi un instant, regarde autour de toi, fredonne la nostalgie qui n'a plus droit de cité par ici, égrène les mots un à un, sème de la musique entre eux... Va voir ta mère, raconte-lui ce que tu fais, confie-lui tes projets, elle comprendra. Dis-lui que sa fille va devenir quelqu'un, qu'elle va accéder au Parlement, qu'elle y portera non pas le drapeau de l'Algérie, mais celui d'une autre France. Parle-lui doucement, elle a besoin de t'entendre. Depuis que ton père est parti, tu n'es plus souvent à la maison. Elle doit en souffrir.

Tu t'es toujours sentie plus proche de ton père ; c'était ton droit. Mais ne l'abandonne pas, elle, à ses superstitions. N'oublie pas non plus Titom ; il ne dit rien, mais lui aussi t'attend.

Ô Nadia, l'ardente douleur que l'injustice a infligée à ta famille est toujours présente. À toi de l'effacer, à toi d'en gommer les traces sur les mains calcinées de ta mère et sur le visage creusé de Titom, à toi d'en renvoyer le souvenir à la cohue véhémente de ceux qui vous regardent encore de haut comme si vous étiez étrangers à tout, non seulement à ce pays mais à vous-mêmes.

Ô Nadia, ta mémoire est en même temps jeune et lourde, vive et ancienne. Tu as hérité de ton grand-père puis de ton père un sac rempli de la terre de Tadmaït, un kilo de terre à l'odeur de terre, legs et relais que les pauvres se transmettent de génération en génération. Le passeras-tu un jour à tes propres enfants ? Je ne le pense pas. Déjà, tu te demandes que faire de ce sac : le remiser dans une vieille valise ou bien enterrer cette terre dans la terre de France comme on y inhuma naguère tant de cadavres de tirailleurs maghrébins ?

Ô Nadia, c'est le moment ou jamais de te demander qui tu es, même si tu sais où tu es née et d'où vient ta famille. Apprends à regarder les choses en face. Ne mens pas. Ne te mens pas. Ne te raconte pas d'histoires. À présent que tu es sur le point de franchir une nouvelle étape, dis-toi qui tu es, où tu vas. Que vas-tu faire de tous ces balluchons qui s'entassent à la cave, de ces cartons pleins à craquer d'objets du pays lointain qui lentement t'oublie ? Un pays qui a tourné le dos à son peuple expatrié. Qui perd son sang. Qui flambe et se consume sous le regard indifférent du ciel et du reste des hommes.

Ton père portait dans sa mémoire des traces d'anciennes blessures. Il vivait avec, sans en faire un drame. Cette mémoire-là est venue s'ajouter à la tienne et, depuis lors, tout se mélange. Tu ne sais plus très bien ce qui t'appartient en propre et ce qui t'est échu en héritage. Tes souvenirs se mêlent à d'autres, déposés à une époque où tu n'étais même pas née. Sais-tu cela au moins ? Fais-tu la différence entre les années de guerre, de libération, et ces temps de désastre et de démence où le pays s'entre-déchire, tombe sous ses propres balles, ivre d'une folie suicidaire ?

Il va falloir rétablir l'ordre dans ta tête, cesser de prendre un souvenir pour un autre, remettre chaque chose à sa place, aménager des cases, des tiroirs sur lesquels tu colleras des étiquettes : *Algérie de mon père : 1925-1961*, *France de mon père : 1961-1991*. Et tout le reste sera à toi, rien qu'à toi. Tu pourras le partager avec ceux que tu as aimés. Mais es-tu seulement capable de classer tout cela ? Tu ne vis bien que dans le mélange. Tu as horreur de la pureté. D'ailleurs, existe-t-elle ? Tu mélanges la vie de ton père à la tienne ? Quoi de plus naturel ? Tu es contre l'oubli, même si tu sais aussi avoir besoin de lui.

... J'étais perdue dans ce genre de pensées quand Yahia et Ali sont venus me voir au bureau de l'Association. Ils avaient laissé pousser leur barbe et arboraient une attitude agressive. Je les connaissais un peu ; je savais qu'un jour ou l'autre ils rejoindraient les islamistes. C'est Yahia, le plus politique d'entre eux, qui prit la parole :

« Nous sommes venus te proposer notre aide dans ta campagne électorale. Si tu es élue, ce sera bon pour nous. Il faut que ces mécréants de Français apprennent à nous écouter et à nous respecter. Voilà, ma sœur. D'un autre côté, il faut dire que nous ne sommes pas très contents de toi. Les frères estiment que tu en fais trop sur la question des filles. Ne te mêle pas de ça ! On n'a pas apprécié ton intervention dans l'affaire de la famille El Hadj. Le père a eu le courage d'éloigner ses filles de ce pays où la pudeur n'a plus cours, et tu as alerté la presse, tu as fait un scandale. Résultat : toute la famille est partie, et nous sommes sans nouvelles d'El Hadj qui, lui, payait régulièrement ses cotisations !

– Vous n'êtes pas cohérents : d'un côté, vous me soutenez ; de l'autre, vous voulez m'empêcher d'agir ! Or, tout se tient. On ne peut avancer si la condition des filles reste ce qu'elle est.

– Écoute : les filles, tu les laisses tranquilles. C'est clair ? Pas d'intervention. La France n'a pas à mettre son nez là-dedans ! »

Ali, qui se tenait coi depuis le début, tout en acquiesçant à chaque propos de Yahia, lâcha :

« Ma sœur, c'est bien, si t'es députée. Mais si tu l'es pas, c'est pas grave. Moins les femmes bougent, mieux on se porte ! »

Yahia s'évertua à calmer le jeu :

« Pas de menaces !... Sache que nous sommes avec toi jusqu'à un certain degré. Nous faisons la même sorte de boulot : nous, on intervient contre la drogue et la prostitution, on nettoie la ville. Mais nous souhaitons donner en plus à ces jeunes un peu de notre culture. La France nous a oubliés. La gauche comme la droite ont oublié que nous existions. Tu te rappelles la marche pour l'Égalité, SOS-Racisme et tout le baratin ? Aujourd'hui, on n'a plus besoin de tout ça. On se débrouille tout seuls. On te prêtera des bras pour coller tes affiches, on collectera de l'argent pour toi, on t'appuiera et on te protégera ; en échange, tu laisses nos filles tranquilles. On s'en occupe. On a formé des sœurs qui travaillent très bien. Elles distribuent des cassettes où le Cheikh leur parle de l'islam des origines. Si on les laisse à elles-mêmes, elles deviendront des filles perdues.

– Vous pensez que les filles d'El Hadj ne sont pas perdues pour toujours ?

– La preuve qu'il a bien fait de les ramener au pays, c'est qu'elles n'étaient pas de bonnes musulmanes : l'une d'elles s'est donné la mort. Un bon musulman ne décide pas de la fin de ses jours, c'est l'affaire de Dieu. Le suicide est d'ailleurs aussi interdit chez les chrétiens et les juifs... Mais revenons à nos affaires : c'est un pacte que nous souhaitons conclure avec toi et tes amis. Fais de la politique autant que tu veux, mais ne t'occupe pas des filles.

– Sinon ?

– Sinon, ma sœur, un accident est vite arrivé. »

Ali intervint :

« Au fait, ma sœur, tu n'es pas mariée ?... On dit que tu fréquentes un chrétien, un homme qui n'est même pas circoncis, qui bouffe du cochon... Voilà qui n'est pas bien du tout ! »

Yahia renchérit :

« Sais-tu que tu vis dans le péché ? Nous n'aimons pas beaucoup savoir qu'une de nos sœurs vit dans le péché... »

Ils dégoisaient, ironisaient, menaçaient, et moi, impassible, je les laissais déblatérer sans réagir. J'avais compris que le dialogue ne faisait pas partie de leurs habitudes. Je me levai et allumai une cigarette, juste pour les enfumer et leur signifier que je me moquais pas mal de leur histoire de pacte. Avec ces gens-là, la moindre concession apparaît comme un aveu de faiblesse ou une tentative de justification. Je ris intérieurement en pensant à Marc, mon chrétien non circoncis !

« Je n'ai nul besoin de votre soutien. Si je dois être élue, autant l'être sans rien vous devoir. Nous n'avons rien à combiner ensemble. Allez faire vos prêches ailleurs. Ici, je suis seule à décider ce que doit être ma vie. Je sors avec qui je veux, je fais ce que je veux !

– Mais, ma sœur, tu prends de sérieux risques ! » s'exclama Yahia.

J'ouvris grande la porte et les poussai dehors. Mais c'était comme vouloir chasser des mouches en plein milieu d'une décharge publique. Ça rimait à quoi ? Je n'allais pas tarder à les voir réapparaître.

Lahcen, un Berbère du Sud marocain, fait irruption dans le bureau de l'Association, le visage défait, s'assoit et ne dit mot. Je le connais bien. Il turbine depuis trente ans chez Citroën.

Je me suis occupée de sa fille Naïma qui a réussi à aller jusqu'au bac et travaille dans un asile de grabataires. Contrairement aux autres immigrés de sa génération, Lahcen sait lire et écrire. Il m'apprend que Naïma a quitté son poste et est partie en compagnie d'un Français dont la mère est pensionnaire à l'asile. Il est malheureux, il pleure presque. Naïma est une jolie fille. Brune, les cheveux frisottés, les yeux noisette, un corps de sirène, elle n'appréciait guère son travail. À dix-huit ans, elle rêvait de faire du cinéma, de vivre un amour fou, de gagner beaucoup d'argent. Rêve classique d'adolescente, rêve en papier d'aluminium qui commence dans le clinquant et risque de se terminer dans le caniveau d'une ruelle des quartiers chauds dans quelque port d'Allemagne ou d'Italie... Peut-être Naïma faisait-elle déjà la pute à Naples ou à Hambourg ?

Lahcen avait les larmes aux yeux, la gorge nouée, et regardait par terre. La honte le submergeait, l'empêchant de parler. Il me dit : « Naïma, ma petite Naïma est en Italie, aide-moi à la retrouver ! » Elle avait téléphoné aux voisins, un soir de cafard, en leur laissant un numéro. Le père avait essayé à plusieurs reprises de la rappeler, mais il était chaque fois tombé sur un répondeur. Lahcen était prêt à tout pour retrouver sa fille. Il me répétait : « La honte, la honte m'empêche de vivre. Je n'ai plus de visage à montrer dans la rue. J'ai l'impression que toute l'usine est au courant. Je marche en rasant les murs. Je n'ose plus lever les yeux. Le déshonneur est tombé sur toute la famille. Aide-moi ! Il faut aller là-bas. C'est le seul moyen. Ma vie est arrêtée. Ma femme croit que Naïma travaille toujours dans un asile de vieillards, qu'elle a changé d'endroit, mais pas d'emploi. Elle ne se doute pas de ce qui nous arrive. Il faut ramener Naïma à la maison et qu'on efface toute cette histoire, comme si elle n'avait jamais existé... »

La décision de partir pour Naples fut prise en un rien de temps. Cela tombait à pic : j'avais l'intention de prendre contact chez nos voisins transalpins avec divers groupements antiracistes. L'idée de me présenter plus tard aux européennes commençait à faire son chemin. Après tout, l'élection d'une Beur à Strasbourg ferait une belle revanche si je venais à échouer aux législatives. Il fallait donc bouger, voyager à travers l'Europe, préparer l'avenir...

Je me sentais un peu responsable de Naïma. J'aimais bien cette fille intelligente, si fine, si différente des autres adolescentes. Une fille bien élevée, avertie, vivant avec des parents compréhensifs, dans un milieu plutôt protégé : qui aurait pu deviner qu'elle tournerait mal ? Je la revois, toute jeune, m'apportant des fleurs et une invitation à dîner chez les siens. Elle me montrait ses cahiers et même son journal. Ses frères et sœurs travaillaient plutôt bien à l'école. Le père les aidait à faire leurs devoirs, surveillait leurs fréquentations. Le jour où Omar, le cadet, fit une virée à Paris, disant à son père qu'il allait visiter la mosquée des Mureaux, et qu'il revint le soir puant la bière, je me souviens de la colère tranquille et ferme de Lahcen ; Omar fut privé de télé pendant quinze jours et dut recopier dans un cahier le premier chapitre des *Misérables*.

J'aurais voulu partir sur-le-champ à la recherche de Naïma, quadriller toute l'Italie, remonter des filières jusqu'à la retrouver. J'aurais su lui parler, la convaincre de revenir avec moi. J'aime rendre service. Mais, en l'espèce, je n'en avais pas les moyens. Je promis à Lahcen de contacter des amis italiens qui enquêteraient à ma place. Il n'était pas rassuré. Ses yeux me suppliaient de faire davantage, de me rendre moi-même là-bas. Il sortit une liasse de billets de deux cents francs :

– Ça, c'est pour tes déplacements.

Je refusai, lui demandai de me laisser un peu de temps. Il repartit la tête basse, essuyant ses larmes. Il faisait pitié. Pourtant, il n'était pas le premier père maghrébin à voir un de ses enfants lui échapper. Dans nos milieux, les fugues sont fréquentes. Elles tiennent lieu d'issues de secours. Généralement, on ne disparaît pas longtemps : on s'offre quelques nuits ailleurs, quelques frissons, on se met à l'épreuve, puis on retourne à la maison, fier d'avoir essayé autre chose.

Pourquoi n'ai-je moi-même jamais fugué ? Comment se fait-il que l'idée ne m'ait à aucun moment effleurée ? Peut-être parce que je n'ai pas besoin de fuir pour me sentir libre ?

Cette nuit-là, mes rêves virent défiler des séquences tantôt drolatiques, tantôt macabres. Le visage de la belle Naïma m'obsédait. Je le voyais surgir au milieu d'une faune de travestis et de grosses femmes dénudées, puis s'éclipser et réapparaître ailleurs, entouré d'étranges figures mécaniques. Si au moins il s'était agi d'un film de Fellini ! Mais ce n'était pas du cinéma, l'endroit ressemblait plutôt à ces cabarets des bas-fonds où truands, trafiquants, proxénètes se donnent rendez-vous.

Ultracolorées, ces images devenaient grisâtres, puis toutes blanches quand j'essayais de les fixer. Le visage de Naïma n'avait de cesse de m'échapper. En fait, c'était bientôt ma propre image qui se projetait sur les murs.

Je ne connaissais pas l'Italie. Dans mes rêves, ce ne pouvait pourtant être que Naples. Des Noirs nonchalants vendaient un faux artisanat tropical. Des Maghrébins proposaient aux passants briquets, paquets de kleenex, stylos de fantaisie et jusqu'à des perroquets qui donnaient l'heure. Je cherchais des yeux des Italiens, n'en trouvais pas. Peut-être m'étais-je trompée de train, de pays, de rêve ?

En ce matin d'automne où je débarquai pour de bon, la gare de Naples ressemblait à une cour des Miracles où tout vivait hors la loi. Il y existait pourtant une loi non écrite, quelque chose qui cimentait cette humanité à la dérive. Les Africains étaient au service des Maghrébins qui travaillaient pour des Gitans eux-mêmes aux ordres d'Italiens aussi invisibles que puissants. Tous bougeaient en tous sens. Les gosses devaient jouer le rôle de relais entre les bandes ; en grandissant, ils se formaient sur le tas. La hiérarchie fonctionnait sans ratés : des immigrés sans papiers, sans travail, des pauvres s'évertuant à survivre s'exploitaient mutuellement sous l'œil implacable et vigilant des petits chefs de la Camorra. J'avais cessé de penser à Naïma. Cette grande pagaille m'étourdissait. Je songeais plutôt à notre commune, à nos problèmes de délinquance : la gare de Naples préfigurait-elle l'avenir de Resteville, celui de toute banlieue ? Baignée d'un côté par une mer étale, cernée de l'autre par des collines d'ordures, avec ses vieilles femmes en noir assises à l'orée des ruelles sombres, ses marchands ambulants, ses gamins délurés et voleurs taquinant les filles, la ville cumule tous les désordres du monde, elle se moque bien de ceux qui osent la juger tout en retenant leurs crachats au fond de la gorge. Naples aime les places sans soleil, les bagarres sans raison, la transgression des règles, les trafics en tous genres et les belles étrangères...

Je ne voyais pas ce que Naïma pouvait être venue faire dans ce labyrinthe.

J'avais rendez-vous avec Paolo, le correspondant de SOS-Racisme pour le sud de l'Italie. Je ne lui avais pas dit le motif de mon voyage. Il m'attendait au café, la main des « potes » ornant le revers de son veston, lisant *Il Manifesto*. C'était un beau garçon un peu timide. Dès qu'il m'aperçut, il se leva et vint me serrer la main. La discussion démarra aussitôt sur les agressions racistes qui s'étaient produites à Giliano où travaillaient des Africains. Il me montra des coupures de journaux, des photos, me parla d'un meeting prévu pour le vendredi soir. Sur un cliché, on voyait une maison réduite en cendres, incendiée par des militants néofascistes. Là vivait une famille ghanéenne. Il me dit qu'à Salerno, des Nigérians avaient été frappés par une bande de jeunes décidés à s'opposer par tous les moyens à la présence d'étrangers dans le pays. La police ne voyait pas là des manifestations de racisme. Pour elle, il ne s'agissait que de faits divers ordinaires, assimilables aux bagarres entre revendeurs de drogue et proxénètes.

Pouvait-il me renseigner sur l'origine des filles qui se prostituaient ? Je pensais à Naïma et sortis le papier sur lequel j'avais noté le numéro de téléphone qu'elle avait laissé. Il me prêta une carte et j'appelai depuis une cabine. Je tombai sur des bureaux ou une administration ; la standardiste me demanda de patienter. Je raccrochai. Je devais m'être trompée de numéro. J'expliquai alors à Paolo pourquoi j'étais venue. Il se montra quelque peu étonné. D'après lui, la plupart des prostituées napolitaines étaient originaires de Sicile et de Calabre, on n'y rencontrait que fort peu d'étrangères : quelques Africaines, des filles du Cap-Vert, mais pas de Maghrébines. Il était formel : SOS-Racisme avait d'ailleurs fait une enquête sur la prostitution à Naples.

Je lui demandai s'il pouvait m'aider à retrouver Naïma. Il téléphona au même numéro, s'entretint avec quelqu'un, puis revint me dire qu'il s'agissait d'une boîte de publicité et qu'il n'y avait pas trace de mon amie.

Je suivis Paolo dans ses déplacements. Le racisme se développait sur fond de crise au sein d'une société minée par les trafics les plus divers. Les immigrés clandestins qui traînaient à travers la ville étaient prêts à effectuer n'importe quel travail pour survivre. Les petits trafiquants de cigarettes, devenus marchands de drogue, les utilisaient à présent pour écouler leur camelote.

Je participai ce soir-là à un meeting et apportai aux Italiens le message de solidarité des militants de Resteville. J'évoquai avec eux la campagne à venir pour les élections européennes. Je ne songeai plus à Naïma. Je me sentais prise en main par un mouvement de protestation fort et organisé. Le Parti communiste avait changé de nom et de ligne. Il était resté de gauche, mais sans dogmatisme. Je repensai à M. Bourru, à son propre parti si allergique au changement. Cette Italie du mouvement et de la contestation me donnait chaud au cœur.

La nuit, Naples prend des allures de poule de luxe aux phrases toutes faites et aux bijoux en toc ; on dirait qu'elle ne s'arrête jamais de vivre, de jouer et de se mentir. Je dormis chez Paolo. Nous restâmes longtemps éveillés à discuter. Cela me faisait du bien de me retrouver hors de Resteville, d'entendre d'autres voix. Je prenais un réel plaisir à être loin de chez moi.

Le lendemain, je n'avais pas oublié Naïma, même si son image n'occupait plus tout l'espace de mes rêves. Je me promenai et c'est alors que je vis l'affiche. Une immense affiche exhibant un corps nu de jeune fille sur toute la largeur du panneau. À plat ventre, la tête légèrement penchée, un sourire malicieux au coin des lèvres, une chevelure épaisse lui cachant une partie du visage, la jeune fille ne vendait rien. À moins qu'elle ne fît la publicité du canapé sur lequel elle était étendue ? On voyait se dessiner ses fesses parfaites, la chute de ses reins, une partie de ses seins écrasés contre le cuir. Je m'approchai, me frottai les yeux. C'était bien elle : Naïma, plus belle que jamais, épanouie, certainement heureuse. Naïma exposant son corps pour rien. Pas tout à fait : en tournant le coin de la rue, j'aperçus la même image sur un autre panneau, accompagnée cette fois, en lettres capitales, du nom du fameux empereur du prêt-à-porter, ARNOLDO BENEDETTO.

Naïma n'était donc pas perdue. Ce n'était pas une pute victime de la traite des blanches ou des brunes. Naïma était devenue une star de la publicité. Ce n'était pas à Naples qu'il fallait la rechercher, mais à Milan, Turin, ou Rome. Je passai et repassai devant l'affiche. C'était bien elle. Comment faire pour la joindre ?

Paolo ne devait pas être en relation avec ces

milieux. Il me présenta à Pietro, un journaliste d'*Il Mattino*, le grand quotidien de Naples. Jeune et fouineur, ce dernier travaillait pour les pages « culture » et écrivait de temps à autre sur des problèmes de société. Il avait notamment enquêté sur les méthodes publicitaires provocatrices de l'industriel du vêtement. Avec cette dernière campagne, Benedetto avait renoncé aux photos par trop choquantes et opté pour la simplicité d'un joli corps nu à habiller. Mais peut-être le consommateur n'avait-il pas du tout envie de voir cette belle fille vêtue ?

Pietro avait même rencontré Naïma, devenue l'égérie d'Arnoldo Benedetto. L'homme d'affaires italien l'avait arrachée à une agence de mannequins et avait décidé d'en faire une star. Elle avait juste ce qu'il fallait d'exotique pour plaire aux Européens sans heurter de front leur xénophobie, et assez de naturel et de candeur pour incarner leurs rêves de luxe, un pied dans l'univers des images, l'autre dans la vie d'un milliardaire aux produits distribués dans le monde entier. En feuilletant divers magazines féminins, je me rendis compte que sa silhouette était partout, accompagnant yaourts, crèmes de beauté, dessous de soie, voitures, fourrures... Ces prestations devaient dater de l'époque où Benedetto n'avait pas encore acquis l'exclusivité de son image.

Naïma avait donc été achetée. Elle vivait probablement entre Milan, New York, Londres et Tokyo. Je n'avais aucune chance de la rencontrer et surtout de passer un moment avec elle. Pietro me conseilla néanmoins de me rendre à Turin. Il me fournit une adresse et quelques noms de gens en relation avec le groupe Benedetto.

Entre Naples et Turin, le train lambine pendant une journée entière d'un arrêt à l'autre, pas forcément dans des gares. Curieuse Italie où les trains réconcilient avec la lenteur, la paresse, l'ennui... En face de moi, une sorte de vieux professeur parlait tout seul, ou plutôt comme s'il s'adressait à moi. Parfois, il se penchait pour me prendre à témoin. À ses mimiques, et bien que je ne compris qu'un mot sur trois, j'avais l'impression qu'il racontait une histoire d'amour, la même depuis des années. Personne ne lui répondait.

Je suis descendue à Turin où m'attendait l'ami de Pietro. La chaîne de l'amitié fonctionnait à merveille. Je retrouvais là l'esprit qui avait prévalu entre Français lors de la marche pour l'Égalité, en 1983. Ottavio se tenait au milieu de la sortie principale, le magazine *Amica* à la main. Sur la couverture, une Naïma bronzée, superbement maquillée. Plutôt grand, la barbe hirsute, arborant un certain embonpoint et un chaleureux sourire, Ottavio vint à moi en s'exclamant :

« Vous êtes aussi belle que votre sœur ! »

Sans doute voulait-il parler de Naïma. Je lui racontai mon trop long voyage. Il s'esclaffa. Heureux et impatient, il s'engouffra dans un magasin et en ressortit avec quelques bouteilles.

« J'espère que vous aimerez le vin italien. Votre sœur en raffole !

– Où m'emmenez-vous ?

– Chez moi. J'habite une grande maison. On y déposera vos affaires, puis on ira rejoindre des amis, Luigi et Anna, qui donnent un dîner. Vous verrez, ils occupent une demeure encore plus belle que la mienne : on dirait un musée.

– Mais je ne suis pas invitée...

– Si, si, on vous attend ! »

Une fois chez lui, je me changeai rapidement et le suivis.

L'autre maison, juchée sur une des collines qui entourent Turin, était une villa ultramoderne tout en marbre, avec sauna et piscine chauffée. Luigi était un industriel reconverti dans l'édition d'art ; Anna, musicienne et ancienne cantatrice, se consacrait à présent elle aussi à la peinture moderne. Tous deux étaient de proches amis d'Ottavio qui était tout à la fois architecte de profession, mais aussi peintre, dessinateur, critique culinaire, œnologue, écrivain, traducteur, organisateur de festivals de théâtre, dépanneur en tout genre, bref, un homme plein de talents divers, de charme et de générosité.

Juste avant d'arriver chez Luigi et Anna, Ottavio me dit qu'une surprise m'y attendait. J'aurais dû m'en douter. Dès que nous fûmes entrés, les lumières s'éteignirent et on me demanda de bien écarquiller les yeux. On ralluma et je me trouvai face à Naïma, si belle et émouvante que je fus dans l'impossibilité de proférer un mot. La Naïma que je connaissais, l'enfant à la mise soignée, si appliquée à l'école, la jeune et jolie fille d'immigrés qui se tenait gauchement et estropiait l'arabe parlé en famille, cette Naïma-là était restée à Resteville. Celle que je découvrais avait l'air d'une jeune femme du monde raffinée, sûre d'elle-même, à l'aise avec les autres. En un rien de temps, elle avait acquis de la maturité et de la classe. Au fond de moi, j'eus honte d'avoir pensé au pire à propos de sa fugue. Pute à Naples ou à Hambourg ! Décidément, chez nous, à Resteville, on n'avait pas beaucoup d'imagination !

On dirait même qu'on est formés à ne penser qu'au malheur. Que notre esprit ne sait déchiffrer que les mauvais penchants, les intentions tordues, les promesses d'échec. Quand nous voyons un jeune Maghrébin pénétrer dans un bar, nous tremblons déjà à l'idée de la rixe qui va éclater, de l'incident qu'il va causer par sa seule présence. Quand une jeune Maghrébine quitte sa famille, on se la figure aussitôt vouée à une déchéance inéluctable dans le monde de la prostitution ou de la drogue, si ce n'est les deux ensemble. Au creux de nos pensées noires niche un espoir si ténu, si discret ! Comment le faire grandir pour ne plus tout penser toujours en termes de drames et de catastrophes ?

Naïma, elle, a réussi. Qui oserait dire qu'elle n'a pas bien mené sa vie ?

Mais peut-être que je me trompe... Peut-être qu'elle n'est parvenue à être une star de la mode qu'en acceptant des rôles ou des actes inavouables ?...

Irrémédiablement mauvaise, voilà ce que je suis ! Moi aussi, il faut que j'arrête de penser sans cesse à mal !

Quelques jours plus tard, de retour à Resteville, je reçus une lettre de Naïma m'annonçant qu'elle m'envoyait par mandat une certaine somme d'argent, ainsi qu'un colis de vêtements à remettre à ses parents. La missive était brève :

> *Ne t'inquiète pas pour moi. Je travaille dans la publicité. J'ai les pieds sur terre. Je ne me drogue pas et je ne fais pas la pute. Je te dis ça brutalement, car je sais ce qu'on pense, chez*

nous, des filles qui fuguent. Je suis partie par amour, mais je vis grâce à mon travail. Je t'envoie aussi quelques magazines ; tu m'y verras poser pour la collection de maillots de l'été prochain...

Je rendis visite aux parents de Naïma et leur remis cadeaux et argent. Je leur montrai des photos de leur fille, des couvertures de magazines. J'avais arraché la page où on la voyait nue et n'avais laissé de préférence que celles où elle posait en pull-over.

La mère pleurait. Le père ne disait rien. Après le dîner, il me prit à part et me demanda d'une voix suppliante de tout lui raconter :

« J'ai perdu Naïma. Tout ça, c'est du toc. Ma fille est devenue une image qui se promène dans la tête des marins et des dockers. Comment a-t-elle fait pour en arriver là ?

– Pour le moment, elle est loin d'ici. Mais, un jour ou l'autre, elle reviendra. »

Plus je m'évertuais à le rassurer, plus il s'entêtait à croire qu'elle était de toute façon inéluctablement perdue :

« Dans quel état reviendra-t-elle ? La honte ! La honte, ma fille ! »

Il se redressa, se dirigea vers la cuisine et réapparut avec une paire de ciseaux à la main. Il ouvrit le colis et se mit à lacérer méthodiquement les vêtements envoyés par Naïma. Son épouse n'osa intervenir. Elle se borna à récupérer l'enveloppe contenant l'argent et à l'empocher.

Le père découpait les pièces d'étoffe multicolores avec application, sans rien dire. Je compris qu'il ne fallait pas chercher à l'en empêcher. Je me bornai à le regarder faire et attendis la fin de l'épreuve. Il réagissait comme un adolescent blessé déchirant les lettres d'un amour évanoui. Quand il en eut terminé, je lui dis :

« Elle ne fait rien de mal. Son seul tort est d'être belle.

– Chez nous, on ne parle pas de beauté. Dire qu'une femme est belle est une insulte. C'est comme si on disait que cette femme se prostitue. La pudeur, ma sœur, la pudeur ! On peut dire d'un enfant qu'il est beau, mais vient un âge où il ne faut plus en parler... Naïma affiche son corps, et moi, je meurs de honte ! Je préfère dire qu'elle est folle, qu'elle est internée dans un asile, oui, j'aime mieux dire qu'elle est morte, plutôt que de raconter qu'elle exhibe partout sa beauté. D'ailleurs, elle ne montre plus son corps, puisqu'elle est morte ! Je m'en vais organiser ses funérailles. Je préfère être pris pour un fou qui enterre sa fille pas morte plutôt que de passer pour un père indigne. Naïma n'existe pas. Elle n'existe plus. J'irai pleurer sur sa tombe vide... »

Je faillis m'étrangler à entendre ces beaux principes dégénérer en monstruosités. J'en avais assez d'écouter et de parler comme si la violence, le mal, les blessures d'autrui ne me concernaient en rien, moi. Naïma avait échappé à la perspective d'une petite vie plate. Nous avions dix ans de différence et l'action politique dans le Val-de-Nulle-Part commençait à m'user. Elle vivait autre chose, et je l'enviais. J'aurais aimé être aussi belle qu'elle, partager sa chance. Je la regardais avec des yeux de grande sœur complice. Je n'avais que faire de la morale étriquée et de l'angoisse égoïste des parents. Je refusais à présent de faire l'effort de les comprendre. Après tout, Naïma ne commettait rien de répréhensible. Elle prêtait son image à la publicité parce que sa beauté était reconnue, célébrée. La pudeur ? Elle commanderait de commencer par cacher tout ce qui est laid !

Alors que je repensais au sort de Naïma, heureuse et épanouie, débarqua le mari de ma sœur, celui qui est « très comme on les aime chez les Arabes ». Il avait mal choisi son heure. Il était venu m'annoncer que, dorénavant, sa propre fille, Zohra, porterait un foulard autour de la tête, et il ajouta, comme pour me dissuader d'intervenir :

« Au moins, elle, elle n'ira pas faire le trottoir en Italie ! »

Quinze ans, jolie comme un cœur, Zohra fréquentait le lycée et y réussissait fort bien. Si mon père avait encore été en vie, aurait-il laissé démolir cette môme ?... Un jour, petite fille, pour m'amuser, je m'étais enveloppée de la tête aux pieds dans une étoffe blanche. Quand mon père me découvrit, il eut une réaction brutale et m'arracha ce bout de drap en criant : « Même pour jouer, je ne veux pas de Fantômas chez moi ! » Il me rappela qu'au pays les femmes ne se voilaient pas. Ce n'est que pour la prière qu'elles se mettaient un fichu sur la tête. Heureusement qu'il nous a quittés avant que ne se déchaîne tout ce tohu-bohu autour du foulard...

Comment river son clou à cette brute de beau-frère ? Je ne savais plus où donner de la tête : rassurer le père de Naïma ; empêcher ma petite nièce d'obéir à son père ; négocier avec les écologistes pour obtenir leur soutien aux élections ; rappeler à l'ordre les communistes ; faire du porte-à-porte pour me présenter ; convaincre les gens de voter pour une Arabe qui n'est pas arabe mais kabyle, qui est française mais qui se sent aussi algérienne ; négocier avec les islamistes sans faire de concessions ; trouver encore de l'argent pour la campagne ; poser pour Malek, le photographe marocain spécialisé dans les mains, les masques, les échines de vieillards africains et lui rappeler que j'ai besoin d'un portrait destiné à séduire, non de la photo-souvenir de quelque fouille archéologique ; rendre visite à mon ancien lycée, rencontrer des parents d'élèves ; voir quelques députés à l'Assemblée, les convaincre de venir à des rassemblements dans le Val-de-Nulle-Part ; aller chez le coiffeur ; prendre rendez-vous chez la gynéco pour vérifier si mes douleurs ne sont pas d'origine psychosomatique ; accorder un entretien au journaliste du *Monde*, rédiger un article pour la presse locale, poser avec Harlem Désir, téléphoner à quelques maires, s'arranger pour être reçue à l'Élysée, faire une émission en direct sur Radio-Beur, recevoir deux ou trois correspondants étrangers, protester chaque fois qu'on me traite de Beur, téléphoner à l'avocat pour savoir où en est le procès contre le Front national pour insultes racistes à mon endroit, passer au moins un après-midi en compagnie de mon frère Titom, courir dans le bois avec mon copain, donner un coup de main à Sadia qui fait une enquête pour *Banlieuescopies*, rappeler le père Delorme, me concerter avec Adil qui a plein d'informations à me refiler, dormir un minimum de cinq heures, faire un peu de gym et apprendre l'espagnol, l'anglais, le russe, le chinois... pour le cas où j'aurais un jour à parler devant l'Assemblée générale des Nations unies !...

Non, le rêve ne dépassera pas le seuil de cette chambre, l'espérance n'ira pas plus loin que le bout de la rue principale de Resteville, le mensonge tombera comme un couperet, le racisme restera fidèle à lui-même... Hier c'était le Juif, aujourd'hui c'est l'Arabe, l'immigré. Même s'il n'a jamais fait le voyage, même s'il est né sur cette terre, au fameux hôpital de Sarcelles, il y a toujours quelque chose qui bloque. Et plus les gamins sentent ce rejet, plus ils ont envie de lui fournir des motifs. Le cercle vicieux : ça tourne en rond et ça se dégrade. Non, je ne verse pas dans le pessimisme. Je suis juste sans illusions, un peu déprimée. Désespérée ? Il faut tant de courage et de persévérance à un gosse de banlieue aux joues basanées pour vaincre les résistances et réussir. Combien accèdent à l'Université ? Combien terminent leurs études ? Pas la peine de brandir les chiffres. Ça ne sert à rien. Qui nous écoutera ? Qui même nous regardera simplement ? Qui verra en nous des individus à part entière, capables, comme ceux qui n'ont rien, de soulever les montagnes ?

Notre besoin de consolation est impossible à rassasier, notre fringale de compréhension infinie, notre volonté d'exister farouche, notre folie n'est pas loin, notre patience est déraisonnable, notre rage ardente, notre soif de reconnaissance inextinguible, nous avons été faits dans l'improvisation, pour le provisoire, nous sommes les enfants des cités de transit, nous sommes arrivés sans que personne en soit prévenu, nous sommes des centaines arrivés par le bateau du soir qui attend que la lune soit voilée pour débarquer ses passagers sans papiers, nous nous retrouvons à vivre ici avec des visages presque humains, à nous exprimer dans un langage presque civilisé, avec des mœurs et des manières presque françaises, nous sommes là à nous demander pourquoi nous sommes là et ce qu'il nous reste à faire pour mériter d'y rester.

Peut-être que nous sommes le sel maudit de la terre, la mauvaise graine qui pousse toute seule là où elle tombe, peut-être qu'on nous a fait venir ici pour casser, tordre et mordre le fer, perturber les fêtes de famille, crier aux heures où les gens dorment, semer le désordre, le doute et l'ortie ? On dit que nos nuits ne ressemblent pas à vos nuits, que nos rêves ne ressemblent pas à vos rêves. Que les nôtres se traînent comme une armée désolée de faire la guerre, une forêt que la hache a meurtrie et qui ne sait plus où aller.

Qu'ils étaient trop grands pour nos corps étriqués, trop ambitieux pour nos âmes timorées. Qu'ils se sont réduits à l'état de graines sèches et stériles qui tournent et rythment et font danser dans nos têtes les petits bals de notre invention.

Nous sommes à peine nés qu'on nous prépare une porte de sortie, une école de rattrapage, une vie dont les trous seront comblés à la mie de pain, car chez nous on ne jette rien et si on trouve un croûton on le ramasse, on le porte à sa bouche et on le baise comme pour remercier le Ciel de nous avoir envoyé ce trésor, c'est mon père qui me racontait cette histoire de pain à embrasser, mais ça n'est plus tout à fait vrai, à présent en banlieue même les exclus excluent, les rejetés rejettent, même les pauvres ont des restes, nous faisons comme les autres, on ne se regarde même pas faire, on est trop occupés à surveiller le cul des autres, surtout qu'aucune main d'homme ne se pose sur celui de la fille de la maison, surtout qu'aucune main étrangère ne se pose sur notre vie, notre toute petite vie, avec ses fêtes minables, ses nostalgies de pacotille, ses sous-souvenirs du pays, comme si le pays avait de l'importance, lui qui n'a pas su garder les siens ni attirer à lui les enfants des cités de transit !

Ah, le pays ! Mon père avait eu raison de construire en plein centre de Resteville une maison calquée sur celles du bled ! Quelle provocation ! Lui n'entendait pas se contenter de quelques chromos, quelques épices éventées, quelques reliques de substitution plus ou moins fabriquées à Formose ou Singapour. Non, il voulait sa vraie maison au centre d'une véritable ville, laquelle ne pouvait en accepter la présence. Les gens d'ici l'ont détruite, et mon père en est mort. Il était allé trop loin dans sa folie, une folie besogneuse et souriante dont il m'avait fait la complice.

Que donner à un gosse qui attend la fête et à qui on dit que ce n'est pas la sienne ? Toutes ces familles qui souffrent quand vient Noël et que leurs enfants réclament pour eux aussi le sapin, les guirlandes, les cadeaux dans leurs empaquetages brillants ! On est privés d'espoir parce qu'on n'a pas une gueule à ça, que c'est trop beau pour nous, que personne ne nous a rien promis, rien proposé, pas même un fruit défendu, qu'il faut dégager, aller ailleurs, là où on manque de mains d'hommes, là où on manque de ventres de femmes, où, mais dites-nous donc où ça manque, nous nous bousculerons pour prendre des trains plombés, pour embarquer dans des charters, à bord de chalutiers percés, convoi de nulle part qui suivra l'étoile la plus petite, celle qui descendra un jour repêcher nos âmes pour les acheminer vers des horizons bleutés, une contrée où sous le ciel en ogive la terre semble immense, où les arbres s'inclineront pour saluer leur arrivée, où les animaux danseront de joie, où le vent chantera dans les hampes et les pailles pour fêter leur retour au bercail...

Retourner au pays... Ah, la belle promesse ! Mais quel pays ? Le mien est irrigué par mon sang, sa carte est mon visage. C'est même pas la France, c'est le Val-de-Nulle-Part, ses provinces portent le nom de mes souvenirs d'enfance, jeux dans le parc, regard méfiant de la voisine, le ballon que j'offre un jour à David, le ballon que le père de David me rapporte... Mon père parlait de lui-même comme d'un vieux dattier transplanté sur le balcon d'une cité de banlieue. Moi, je suis plutôt du genre herbacée, sans doute de la mauvaise herbe, celle qui pousse n'importe où et qu'on arrache machinalement sans se poser de questions. À nous tous, nous faisons un immense terrain vague planté d'épineux, d'orties et de chiendent, nous risquons un jour de nous faire bouffer par une machine à tondre qui passera sur nos têtes pour les ratiboiser et rectifier l'énorme malentendu de notre existence.

Le jeune frangin de mon beau-frère est en prison. Tout le monde dit qu'il est parti travailler en Bretagne. Pour un peu, on viendrait congratuler la famille.

Quelle est cette malédiction qui s'acharne sur nous ? Comment échapper à ses méfaits ? Faut-il trahir, quitter ce lieu, devenir une autre, une femme toute neuve à la peau couleur de miel, quelqu'un qui ne se souvient même plus de ce qu'il a été ? Faut-il mourir à soi-même, tout sacrifier à l'oubli pour renaître ailleurs, là où les regards ne sont chargés d'aucune haine, où ils se moquent pas mal de la couleur de peau, où ils ne réclament rien, ni papiers ni explications ?

Ô cette petite part de rêve qui ne devrait gêner personne, qui ne prend rien à personne, qui nous rendrait un peu de goût pour l'existence ! L'oubli est notre prière. L'oubli de cette part maudite commencée avant même que nous ne soyons venus au monde, tout comme a déjà commencé celle des enfants qui vont naître aujourd'hui avec une petite étoile cassée sur le front. Ce seront les vaillants enfants de l'aube, partant seuls pour l'école tandis que leurs aînés rentrent de leurs virées nocturnes dans le logement où la télévision fait les trois huit, les pâles enfants de minuit qui joueront avec les rats morts dans les cages d'escalier délabrées, avant de tomber de sommeil dans les bras d'un grand frère de rencontre. À quoi bon nous mentir, à quoi bon croire que le soleil brillera un jour pour eux ?

Il faut que j'oblige Leïla à avorter. Son compagnon fait son service. Pourquoi fournir un soldat de plus aux bataillons de la misère, la grande misère prude de ceux qui ont ravalé regrets, envies et besoins, comme ces hommes au crâne rasé et à l'œil hagard débarqués jadis d'Afrique du Nord dans la France en guerre pour aller travailler dans les mines pendant que les tranchées en surface se remplissaient de morts ?

Qui se souciera de nous ? Qui prendra la peine d'ériger un mémorial à notre génération ? Assurément, la mort peut attendre et nous sommes vraiment trop jeunes pour accepter qu'on continue à nous raconter des histoires. Mais qui se souviendra de nous si nous n'avons pas su garder le goût de nos origines, un petit bout de mémoire, un lambeau d'étoffe sacrée où sécher nos larmes, un bout de ciel où épingler notre petite étoile au-dessus du lopin de terre où nos corps iront dormir de leur dernier sommeil ? Pour l'heure, nos nuits sont mauvaises, entre insomnies et cauchemars, et nos problèmes de chaque jour ressemblent à des montagnes qui se chevauchent à l'horizon.

Je sens que je vais craquer, je ne sais plus ce

que je dis ; est-ce encore moi qui parle ou bien l'ombre d'une autre ?

Non, Nadia, il faut sortir de ce tunnel ! T'as pas le droit de perdre pied ! T'as encore plein de batailles à gagner ! Réveille-toi !

Hélas, je n'ai jamais eu les yeux aussi ouverts. Je suis atteinte de lucidité comme d'une sale maladie qui ne veut pas guérir. C'est douloureux, la lucidité. On voit les choses exactement comme elles sont, non comme elles devraient être. Et j'en ai assez de voir clair, je n'aspire plus qu'à une nuit profonde, réparatrice. Si, au réveil, je me retrouve dans un autre pays qui ne sera ni la France ni l'Algérie, dans un autre lit ou une maison flottante voguant sur un cours d'eau inconnu, c'est que la lucidité m'aura prise en pitié. C'est que je me serai exilée dans une contrée anonyme où je serai moi-même enfin devenue n'importe qui, ni plus ni moins qu'une personne sans signe distinctif, affublée d'un nom quelconque rappelant un arbre ou bien un animal, avec un visage au type indéfinissable, un corps qui ne trahit pas ses racines, une voix sans aucun accent...

Je me sens cernée de bruits. Des voix montent du fond de ma lassitude. Elles me réclament. Je me lève, je retombe. J'ai trop besoin de dormir, de me pelotonner dans un sommeil sans rêves ni nostalgies, comme ces gamins que la fatigue surprend au bas des escaliers et que les grands ne viennent même plus ramasser.

Quel pays est le mien ? Celui de mon père ? Celui de mon enfance ? Ai-je droit à une patrie ? Il m'arrive parfois de sortir ma carte d'identité – non, on dit : « carte *nationale* d'identité ». En haut et en majuscules : RÉPUBLIQUE FRANÇAISE. Je suis fille de cette république-là. *Nom, prénom(s), né(è) le, à, taille, signes particuliers, domicile, fait le, par, signature du titulaire. Signes particuliers* : *néant.* Ils n'ont rien mentionné. Cela veut-il dire que je ne suis *rien* ? Pas même « rebelle » ou « Beur en colère » ?

Ma mère me l'a pourtant souvent répété : « Tu es née en criant, tu rouspétais tout le temps. » Bon signe ! Peut-être que si j'avais vu le jour au bled, j'aurais été une gosse obéissante et résignée ? de la graine de bonne petite bergère ou de couturière appliquée ?

Mais à quoi bon se mettre en colère quand personne ne vous écoute ? Pas question non plus d'être gentil à tout prix. Ça ne veut rien dire, quelqu'un de gentil. On n'est pas là pour être aimé. On n'est pas assez fou pour attendre de l'amour et de l'amitié à tous les coins de rue. Cette fraternité-là est une charge creuse. Ça me rappelle l'amitié entre les peuples et les partis frères. Ce sont toujours ceux-là qui se font le plus aisément la guerre. Non, on tient juste à être respecté, considéré. On ne demande surtout pas l'impossible !

Ils sont bizarres, les Français : ils passent leur temps à dresser des murs pour se protéger et ils s'étonnent de ne plus voir que des étrangers autour d'eux ! Ils pensent que la banlieue ne fait déjà plus partie de l'Hexagone, mais que cet anneau-là a déjà décroché et dérivé du côté du tiers-monde, des pays non alignés, des régions en voie de sous-développement...

Je ressors ma carte nationale d'identité, je la fais photocopier en grand et la placarde sur la porte de l'appartement. Les voisins pensent que j'ai une araignée au plafond. Des gamins taguent dessus. Notre visage est comme ça : plein de graffitis. Illisibles, forcément, comme nos rêves, aussi incohérents qu'inexplicables.

La nuit est une bonne compagne. Elle me protège du mauvais œil et de la violence des autres. La nuit est mon territoire libéré, ma solitude préférée, ma valeur refuge. J'ai le sommeil léger et les rêves arrogants. Quelque chose en nous ne cesse jamais de pleurer comme les murs humides d'une prison : est-ce l'enfance trop éphémère ? l'ombre de nos ancêtres qui se lèvent de leurs tombeaux pour regretter ce qu'ils ont fait ou n'ont pas osé faire ? Quelque chose ou quelqu'un en moi ne cesse de pleurer, mais, au-dehors, je refuse les larmes. Ni plaintes ni lamentations. Je regarde les choses en face et, au besoin, je hurle. Jamais d'apitoiement sur soi-même. Mais qui donc, en moi, ne cesse de sangloter ? Kamel, qui n'a pas eu le temps d'avoir vingt ans ? Titoum, avec sa vie réduite à un simulacre ? Je n'imagine pas Naïma en train de chialer ! Ce n'est vraiment pas son genre. Elle n'a d'ailleurs aucune raison de pleurer, même si sa famille l'a déjà enterrée. C'est si triste qu'elle préfère en rire. Serais-je en train de me transformer en pleureuse professionnelle ? Comment faire taire ces gémissements qui m'habitent ?

Il faut se lever, allumer la lampe, s'occuper d'autre chose. La nuit en a assez de mes problèmes ! Elle m'a retiré son manteau. J'ai froid. Je grelotte. Tiens, j'ai faim. Le frigo est vide. Une tomate moisie, une carcasse de poulet. J'oublie toujours de jeter la nourriture avariée. En fait, j'attends qu'elle soit foutue pour pouvoir m'en débarrasser sans mauvaise conscience. Toujours cette vieille manie. Rien de plus désolant qu'un frigo garni de restes immangeables. Ça me rappelle une de mes tantes, au bled, qui recyclait, mixait, touillait tout dans la même marmite. Je n'aimais pas beaucoup manger chez elle. C'est peut-être nous que l'enfer cuisinera un jour ainsi.

C'est bon de délirer quand on est seul. Je suis seule et mes délires tournent en rond. Est-ce que je deviens folle ? Je ne savais pas qu'une tête d'Arioule pouvait peser ainsi des tonnes. Arioule ! D'Arabe et de Bougnoule, qui sont kif-kif ! Avec ça, on fait plus court et on rigole. Je ne suis pas beur, mais arioule. Ou kaboule, qui rime avec maboule ! Mais ma Kabylie est bien loin. Elle m'a sans doute oubliée. Je reste pourtant la fille d'une tribu qui s'est déplacée il y a des siècles à dos de mulet à travers le monde pour s'arrêter un jour devant Paris ; dans ses faubourgs, la tribu campe toujours. C'est elle que j'entends, la nuit, ranimer ses feux et ses chants.

Je voudrais à mon tour jouer à emprunter un des couloirs du temps, suivre une flèche indiquant une direction improbable, et me retrouver brusquement face au soleil, une tache d'un blanc insoutenable, froid et brûlant, jusqu'à ne plus rien voir et tomber le visage contre le sable poudreux... L'oubli a le goût du sable dans la bouche, la douceur du sable quand il épouse les paumes et le ventre, l'infini des sables que répercute le cri des charognards.

J'aurais besoin de prendre du recul. J'ai envie

d'être un peu seule, d'avoir du temps pour moi, de savourer le silence. Je m'éparpille, je ne sais pas dire non, je ne m'appartiens plus. Je ne veux pas abandonner, mais j'ai juste besoin d'un peu de répit avant de repartir. Je me rappelle, mon père lançait parfois à ses compagnons : « Nous aurons toute la mort pour dormir... » À l'époque, déjà, je n'aimais pas cette formule. Pourquoi n'aurions-nous pas droit à un peu de paix sur cette terre, et non pas seulement en dessous ? une petite oasis de repos et de miséricorde ? Qu'avons-nous fait au monde pour ne mériter ni sympathie ni clémence, ni relâche ni sursis ? Mais est-ce à nous de répondre ? Ou à ceux qui nous ignorent ou nous méprisent d'avoir le front de dire ce qu'ils nous reprochent ? C'est vrai, nous ne sommes pas très photogéniques. Notre gueule est ce qu'elle est. Pas fameuse. Mais qu'y faire ? En changer ? Pas le droit ! Surtout, pas la peine.

La colère est tout ce qui nous reste. On s'énerve vite, chez nous. On gesticule. Parfois, on donne des coups avant d'en recevoir. On prend de l'avance. Normal : pas le temps de réfléchir, de peser le pour et le contre. On est pressés. Pressés de vivre sa vie, affolés à l'idée qu'on puisse nous la retirer. Légitime défense. Attaque préventive. Toujours prêts pour la bagarre. Même entre nous. On ne s'aime pas vraiment. On se regroupe quand l'un de nous est touché, par solidarité et curiosité mêlées, parfois pour se féliciter de n'être pas celui-là, parfois pour se féliciter qu'il ait été choisi.

À défaut de colère, la musique nous fait du bien. Le raï nous libère. Je me souviens d'un concert de Cheb Rami : tout le monde dansait, chantait, se bousculait, s'oubliait. La voix paraissait remonter à cette époque ancienne où nos ancêtres régnaient sur l'Andalousie et répandaient jusque par ici les bienfaits de leur sagesse et de leur science... Qui étaient alors les barbares, les fanatiques ?

Hé, Nadia, délire, mais pas trop ! Voilà des gens qui t'attendent avec une pétition. Et Lahcen qui organise pour de vrai les fausses funérailles de sa fille !... Ils sont fous, ces Arabes... Non, ne me dis pas que t'es raciste, à présent !... Quand on dit du mal de sa tribu, on n'est pas raciste, on est lucide, c'est tout. On m'a d'ailleurs déjà fait la remarque. M'en fous ! Ce qui urge, c'est d'empêcher cet imbécile de mener à bien son opération. Naïma est vivante, plus belle que jamais. Elle n'a pas suivi le chemin familial, est-ce une raison pour l'éliminer, fût-ce symboliquement ? Ils sont marteaux, ces mecs ! Ils ne craignent même pas le ridicule. Autrefois, mon père m'avait déjà raconté l'histoire d'un Marocain qui s'était converti au christianisme ; dès qu'elle en avait été informée, sa famille aussi lui avait organisé des funérailles solennelles. C'était dans les années quarante : on l'avait considéré comme doublement traître, à son pays et à sa foi. Mais Naïma, elle, n'a trahi personne. C'est curieux comme les parents n'aiment pas qu'on s'en sorte mieux qu'eux. Mon père avait pris la place du sien à l'usine ; moi, je ne veux prendre la place de personne, je veux réussir par moi-même, m'en sortir sans rien devoir aux autres.

Les types de la pétition sont des barbus. Encore l'histoire du voile. Je refuse de les voir. Je cours chez Lahcen. Le pauvre : sa femme est parvenue à le dissuader d'enterrer sa fille. À présent, il geint comme une baudruche percée. Il souhaite repartir au pays. Il refuse de travailler plus longtemps ici. Il veut ramasser ses affaires et rentrer. Les enfants organisent une manif dans l'appartement en brandissant leurs cahiers : « Nous, on veut rester ! » Il ne pleure plus. Il rit. Je ris à mon tour et les laisse vider et remiser les valises de Lahcen. Celui-ci me raccompagne sur le palier en disant :

« Si t'es élue, tu pourras trouver du boulot pour Driss ? Il a vingt ans et souhaite travailler dans la coiffure. Quelle famille ! L'une est mannequin, l'autre rêve de friser les actrices !

– On verra. Pour le moment, rien n'est acquis. » Les communistes ne sont pas fiables, la presse s'en fout et les écologistes se bouffent entre eux. C'est peut-être moi qui vais me retrouver sur la paille...

Au soir du scrutin, je respire : je ne serai pas députée ! Pour les écolos, je n'ai été que la Beurette de service. Ça fait toujours bien d'avoir une Maghrébine sur ses bulletins ou ses tréteaux. Ils n'ont rien fait pour gagner. Ils se sont même arrangés pour perdre. Je me sens exclue d'un avenir que je m'étais imaginé, mais cette exclusion ne me fait pas souffrir. J'ai voulu sauter trop de pages d'un coup dans mon roman et l'épilogue était trop beau pour être vrai. Une Beur au Palais-Bourbon ! Je vois d'ici les titres des journaux ! Ce sera pour une prochaine fois, peut-être pour une autre que moi. Je retourne à la case départ. Je ne me sens pas battue, juste un peu triste, désabusée. J'aurais tant voulu offrir ce cadeau posthume à mon père !

La génération de l'oubli voudrait sortir de l'ombre, soulever les grosses pierres qui la recouvrent, rejeter ce linceul de mépris et ébranler l'arbre des ancêtres. Nous ne voulons plus vivre hors les murs, relégués dans les banlieues, nous ne piétinerons pas indéfiniment sur la rive de l'attente, nous ne nous contenterons plus longtemps des cages d'escalier, des hangars humides, des garages insalubres. Nous allons descendre en ville, la tête bouillante, la bouche pleine de mots durs comme des cailloux, les yeux révulsés parce que des signes se seront allumés dans le ciel pour nous guider.

Je m'en vais ramasser toutes mes affaires, les anciennes et les plus récentes. Je fourre tout dans un énorme sac noir, un sac-poubelle en plastique. Je commence par les fringues, mes jeans usés, mes pulls troués aux coudes, mes chaussettes dont l'élastique ne tient plus, les chemises de mon père que j'utilisais comme pyjamas, le manteau de Marc oublié dans ma chambre, mes lunettes de soleil cassées, une veste en daim moisie, un chemisier en soie étriqué, un béret rouge, un châle de laine, cinq soutiens-gorge, un vieux peigne, une brosse mi-chauve, un foulard indien, un keffieh palestinien, une vieille montre-gousset aux aiguilles bloquées, un drapeau noir, une banderole semée de fautes d'orthographe, un miroir fêlé, un sac imitation LV, un nounours tyrolien, un bouquet de fleurs imputrescibles, un paquet de tracts non distribués, un plan de ville, une affiche jaunie mettant en cause un maire communiste qui avait accusé une famille marocaine de se livrer au trafic de drogue, de vieilles godasses, des bottes, une assiette à dessert à rébus ébréchée, une photo de David sur sa moto, des dossiers sur l'écologie, quelques médicaments périmés, un tube de cirage noir, une djellaba, une bougie entamée, un flacon de parfum bon marché, ma licence en économie encadrée par mon père, mon diplôme de secouriste, mon troisième cycle en socio, la photo d'un pique-nique avec Marc... Le sac-poubelle est grand, on dirait qu'il n'a pas de fond, je pourrais y enfourner toute la maison, les tables, les lits, les tabourets, l'évier, la télé, et pourquoi pas moi avec ? Je me love dedans, m'installe sur mes bagages, lève les bras, serre les deux bouts du sac, les noue de l'intérieur. Il fait sombre, il fait doux, je me sens bien, accroupie sur mon passé, je prends mon temps, plus rien ne presse, de l'index je perce un trou dans le plastique pour laisser passer l'air, le sac est clos, prêt à embarquer. Je ne m'y sens pas du tout à l'étroit, mes pensées enfermées sont plus libres que jamais, je respire largement, je vois clair dans le noir, je me vois courir à travers une prairie fleurie, il fait beau, je crie, mon père s'est caché derrière un arbre, il en surgit dans un éclat de rire, je tombe dans ses bras, le soleil est brûlant, le ciel presque blanc, j'ai cinq ans, je suis heureuse, on est là-bas, au village, c'est l'été, on ne pense pas à l'exil, on ne pense à rien, je suis blottie contre mon père qui me serre dans ses bras, sa moustache me pique, je ne pleure pas, je l'esquive et m'endors, la tête sur son épaule.

Assise sur le balcon, Nadia sourit en entendant la voix de son père comme s'il se tenait à côté d'elle. Les cris des gosses jouant au bas de l'immeuble ne lui parviennent plus. Elle garde les yeux mi-clos. Elle ne rêve pas. Elle écoute les paroles de son père : « Je suis fier de toi. Je sais combien c'est difficile. Tu as fait ce que tu as pu. L'échec en soi n'est pas grave. L'important est que tu restes décidée à te battre. Pas de répit. Pas de repos. Là où je me trouve, tu me fais du bien. On dirait que tu prends la revanche de toute la famille. Mais pense à ta vie, à ton avenir. Je ne m'inquiète pas trop pour toi, je te connais, je sais que tu es une femme libre. On n'aime pas beaucoup ça chez nous, mais moi, je t'ai toujours voulue ainsi. Quitte ce pays-ci, voyage, va à la découverte du monde. Mais, où que tu ailles, n'oublie jamais qui tu es, d'où tu viens. Un jour ou l'autre, le village de tes ancêtres t'accueillera et te fera la fête. Ce n'est pas le moment d'y retourner, il y a de nouveau la guerre, la pire qui soit, celle qui fait s'entre-tuer les membres d'une même famille. Inutile de te recommander de prendre soin de ton jeune frère et de ta mère, je sais que tu y veilleras, mais pense à toi... »

Un ballon vient heurter le balcon. Nadia essuie ses yeux et regarde la mêlée des gamins. La journée est belle, le ciel aussi bleu qu'à Tadmaït. Elle songe à Marc. Elle a l'impression de l'avoir aperçu courant avec les enfants. Elle a besoin de sa présence, d'entendre sa voix. Elle lui en veut d'être parti. Depuis la mort de son père, elle n'a plus d'arbre contre qui s'appuyer.

Le facteur sonne ; il apporte un paquet recommandé. Elle signe en arabe. Cela paraît amuser le préposé qui, du coup, lui tend une feuille et réclame un autographe : « C'est beau, l'écriture de droite à gauche ! »

Paris,
novembre 1994-
septembre 1995.

Je tiens à exprimer ma reconnaissance à Saadia, celle qui m'a parlé plus des raisins que de la galère. Merci aussi à l'équipe de chercheurs sur le terrain qui a rédigé le rapport portant le même titre que ce récit. Merci enfin à mon ami Adil Jazouli, directeur de Banlieuescopies, *qui m'a mis en contact avec cette part de notre vie.*

T. B. J.

DU MÊME AUTEUR

AUX ÉDITIONS DENOËL

Harrouda
roman, 1973

La Réclusion solitaire
roman, 1976

AUX ÉDITIONS DU SEUIL

La Plus Haute des solitudes
coll. « Combats », 1977

Moha le fou, Moha le sage
roman, 1978

La Prière de l'absent
roman, 1981

L'Écrivain public
récit, 1983

Hospitalité française
coll. « L'Histoire immédiate », 1984

L'Enfant de sable
roman, 1985

La Nuit sacrée
roman, 1987

Jour de silence à Tanger
récit, 1990

Les Yeux baissés
roman, 1991

L'Ange aveugle
nouvelles, 1992

L'Homme rompu
roman, 1994

Poésie complète
1966-1995

Le premier amour est toujours le dernier
nouvelles, 1995

AUX ÉDITIONS ACTES SUD

La Fiancée de l'eau
théâtre, suivi de
Entretiens avec M. Saïd Hammadi, ouvrier algérien,
1984

AUX ÉDITIONS FLOHIC

Alberto Giacometti
1991

AUX ÉDITIONS ARLÉA

La Soudure fraternelle
1994

Impression réalisée sur CAMERON par
BRODARD ET TAUPIN
La Flèche

pour le compte des Éditions Fayard
en février 1996

Imprimé en France
Dépôt légal : février 1996
N° d'édition : 3900 – N° d'impression : 1620N-5
35-49-9474-02/4
ISBN : 2-213-59474-0